LA LAÏCITÉ

JEAN-MICHEL DUCOMTE

LES ESSENTIELS MILAN

Sommaire

Les mots suivis d'un astérisque (*) sont expliqués dans le glossaire.

Le chemin de la liberté

Le terme « laïcité » est récent, tout comme son emploi. En 1882, alors que le combat à l'issue duquel devait naître l'école *gratuite, laïque et obligatoire* était déjà largement engagé, Ferdinand Buisson, acteur aux côtés de Jules Ferry de la laïcisation de l'enseignement, parlait d'un « néologisme nécessaire ». Toutefois, le mot laïcité n'a fait que nommer une réalité qui existait déjà depuis longtemps. Libérer l'État de toute emprise confessionnelle, délivrer l'école du poids des déterminismes religieux afin d'en faire un instrument de libération des hommes, tel est le message qui, à compter de la Révolution française, est véhiculé par le concept même de laïcité. Il a fallu se battre pour que l'on en vienne à séparer l'ordre des convictions individuelles et l'espace public. Si la laïcité a pu acquérir, dans un pays comme la France, la force des évidences, elle le doit à la vigilance d'un certain nombre d'hommes qui ont défendu la liberté absolue de conscience avec courage et témérité. Des bûchers de l'Inquisition (à partir du XIIIe siècle) aux supplices de Calas (1762) ou du chevalier de la Barre (1766) en plein siècle des Lumières, subsiste la redoutable commodité qu'offre aux amateurs de certitudes le recours au principe d'autorité.

Autour de l'affirmation progressive de ces convictions devant permettre l'émergence d'une République laïque, deux France vont s'affronter. L'une, en héritière des valeurs de la Révolution, sait être anticléricale à défaut d'être irréligieuse. L'autre est attachée à l'Ancien Régime et au mariage du trône et de l'autel. Cette opposition a connu des moments de paroxysme, mais le temps a contribué à la pacifier.

La laïcité est souvent présentée comme une singularité française, comme le produit d'une histoire originale. Cette affirmation recouvre une part de vérité. Cependant, rares sont les principes dont l'universalité s'impose avec une évidence aussi forte. Son aptitude à rendre démocratiquement vivables les conséquences d'une complexité sociale qui va croissant lui confère une évidente actualité. Cet « Essentiel Milan », après avoir rappelé les conditions d'émergence puis de développement de l'idée de laïcité, s'attachera à éclairer les raisons qui en font, plus que jamais, un instrument de concorde sociale.

La Liberté,
œuvre du peintre
Louis Boulanger (1806-1867).

La laïcité avant la laïcité

La laïcité est le résultat d'un combat engagé afin d'affranchir l'homme des contraintes du principe d'autorité*. Avant que le mot ne vienne identifier le concept, les conditions qui le rendent possible ont progressivement émergé.

Aristote,
le philosophe
de la raison.

Décret de Diopeithes

Ce décret, adopté en 432 av. J.-C. à Athènes, prévoit l'engagement de poursuites à l'encontre de ceux qui ne croient pas aux dieux reconnus par l'État.
Il servira à fonder les accusations portées contre Socrate.

La lente reconnaissance de la raison critique

Dès l'Antiquité grecque, l'histoire de la pensée s'ordonne autour de deux mouvements contradictoires : l'un se renferme sur des certitudes métaphysiques ou religieuses, l'autre se fonde sur l'affirmation d'une autonomie de la pensée individuelle. Socrate (470-399 av. J.-C.) inscrit la démarche philosophique dans une éthique du débat, la transforme en conscience critique qui se moque de la bonne conscience des vérités toutes faites. Ce faisant, il ouvre une voie que d'autres viendront élargir, au premier rang desquels Aristote (384-322 av. J.-C.). Ce dernier porte un regard neuf sur la fonction de la raison comme instrument de compréhension des évènements et de leur évolution. Il ne s'agit plus d'une explication totale, mais d'une simple méthode d'appréhension du réel, appuyée sur une morale du possible à dimension humaine. L'accès du christianisme au statut de religion officielle provoquera, pour un temps, l'oubli de ce patrimoine philosophique. Sa redécouverte est rendue possible, du XIe au XIIe siècle, grâce à des penseurs arabes comme Avicenne et Averroès. Foi et raison, croyance et philosophie, sont deux modes distincts de connaissance. Révélation brutale que la pensée dominante condamnera en enfermant l'enseignement chrétien dans une logique de la répétition.

La Renaissance et les Lumières

À partir du XVIe siècle, se brise le consensus intellectuel ordonné autour d'une croyance indiscutable. Si les

invention | le modèle français | au-delà des frontières

anciennes inquiétudes que suscitait l'Islam se sont estompées à partir de la Reconquête espagnole, d'autres surgissent, au sein même de la chrétienté, avec la Réforme protestante. Plusieurs lectures d'une même doctrine religieuse entrent désormais en concurrence. Plus largement, la pensée occidentale commence à se vivre comme un humanisme en action. Sous l'influence d'esprits aussi divers qu'Érasme, Pic de la Mirandole ou Rabelais, s'amorce une laïcisation de la pensée. Le libre arbitre l'emporte sur les dévotions aveugles, la politique cesse d'être conçue comme la réalisation d'un projet divin. Les progrès de la science et de la technique, du XVᵉ au XVIᵉ siècle, avec Ambroise Paré, Copernic, Kepler ou Galilée, concourent à démontrer que la raison était dotée d'une capacité d'investigation propre. Plus de vérités absolues, simplement, des convictions ou des hypothèses, nécessairement relatives. Avec Descartes (1596-1650), le doute devient une méthode. L'édifice doit encore être complété par l'esprit des Lumières*, soucieux de repenser l'homme comme pivot du projet civilisateur. Une orientation nouvelle voit le jour, celle de l'homme jeté dans l'Histoire et qui cherche à en infléchir le cours.

Constantin
En 312, cet empereur se convertit au christianisme mais c'est sous le règne de Théodose, à la fin du IVᵉ siècle, que le christianisme deviendra la religion officielle de l'Empire.

L'invention de l'État

Une autre révolution s'opère dans le même temps, moins connue peut-être que les bouleversements de la Renaissance, mais aux conséquences tout aussi importantes : l'affirmation de l'autonomie de l'État en tant que puissance souveraine. L'idée d'un pouvoir civil, opposé à l'hégémonie religieuse, indépendant du pouvoir pontifical, avait déjà été soutenue par Dante, Marsile de Padoue, Guillaume d'Occam et certains légistes, conseillers de Philippe le Bel. Cette conviction sera approfondie et systématisée par Machiavel, Hobbes et Bodin. Le pouvoir civil dispose, dès la fin du XVᵉ siècle, avec l'État, d'un lieu d'expression. Les conditions brutales ou démocratiques de sa conquête et de sa conservation sont connues, son fondement déterminé, ses attributs définis. Il existe désormais comme puissance autonome.

Vécue comme un apprentissage du doute et de l'esprit critique, la laïcité plonge ses racines dans des principes qui se sont dégagés au cours de l'histoire de la pensée occidentale.

Le temps des supplices et la découverte de la tolérance

Confrontée aux critiques de la Réforme et à la montée de l'incroyance, l'Église catholique réagit par la violence de l'interdit ou du bûcher. Cependant, une certaine idée de tolérance commence à naître dans les esprits.

Giordano Bruno

Le 17 février 1600, il montait sur le bûcher érigé sur le *Campo dei Fiori* à Rome. Son crime principal était de soutenir que l'univers matériel était éternel et qu'il contenait une infinité de mondes.

Le chevalier de la Barre

En 1766, à l'âge de 19 ans, cet esprit libre était condamné à être décapité pour ne pas s'être découvert au passage d'une procession et avoir mutilé un crucifix. (*Voir* statue ci-contre.)

La peur tragique de la diversité

L'Inquisition* est mise en place en 1231, sur l'initiative du pape Grégoire IX, pour combattre les hérésies. Elle est réactivée sous le pontificat de Paul IV (1555-1559), pour aider à lutter contre les remises en causes des dogmes* et des pratiques religieuses. Une reconstruction idéologique s'organise, entamée avec le concile de Trente (1545-1563), et relayée par la compagnie de Jésus que fonde Ignace de Loyola. Elle prend le nom de Contre-Réforme*. Si l'un des objectifs est de parvenir à la transformation de l'Église, la méthode utilisée se réduit le plus souvent à une lutte sans merci contre les déviations doctrinales. L'ancien système de Ptolémée (IIe siècle), qui voit la Terre comme le centre invariable de l'Univers, sert encore d'explication du monde et de son organisation physique. La nature est censée obéir aux règles que lui imposent les textes religieux. Personne n'a le droit de remettre en cause la description du monde tel qu'elle figure dans la Bible. Seule importe la question du salut. Tous ceux qui osent, sous le poids des évidences, remettre en cause le système, doivent se soumettre et adjurer leurs « erreurs » – tel Galilée – ou périr. Longue est la liste des personnes suppliciées pour crime de doute, d'impiété, de pensée libre. Étienne Dolet, brûlé à Paris en 1546, Vanini, brûlé à Toulouse en 1619, Giordano Bruno, brûlé à Rome en 1600, en font partie. Les autres religions ne sont pas en reste. L'exclusivité acquise par certaines, notamment le calvinisme à Genève, justifiera

invention | le modèle français | au-delà des frontières

l'intolérance. Ainsi, Jacques Gruet, secrétaire genevois et incroyant notoire, en 1547, et Michel Servet en 1553, seront-ils suppliciés. Ces manifestations de l'intolérance se poursuivront jusqu'au XVIIIe siècle, comme en témoigne l'exécution de Calas à Toulouse, en 1762.

La tolérance de la diversité

La pluralité religieuse, imposée par la Réforme, rend nécessaire l'établissement des conditions d'une coexistence acceptable. C'est ce que réalise, en France, l'édit de Nantes, de 1598 à 1685. Mais, derrière des solutions concrètes, nécessairement marquées par les circonstances historiques de leur élaboration, c'est dans le domaine des idées que les avancées sont les plus significatives. Spinoza, au nom de la « liberté individuelle de juger », considère les hommes comme capables de concevoir la nécessité d'un pacte politique, fondatrice d'une « libre république » respectueuse de la liberté de pensée et d'expression. Pierre Bayle s'attache à déconstruire l'esprit d'orthodoxie au nom de la relativité des croyances. Le choix de Locke en faveur de la tolérance religieuse, le combat de Voltaire en faveur de Calas et sa volonté d'« écraser l'infâme », illustrent la permanence de cette revendication exprimée chez la plupart des encyclopédistes.

Le victoire du droit

Cette affirmation de la liberté de conscience consacre la *Déclaration des droits de l'homme et du citoyen* de 1789. On y perçoit les prémices dans la reconnaissance d'un « droit de la nature et des gens ». Cette notion, développée par Pufendorf (1632-1694), libère le droit naturel de la référence théologique qui lui était associée jusque-là. Montesquieu, en conférant au droit seul la capacité de circonscrire le pouvoir, affranchit l'autorité des injonctions religieuses. Il restait à constater que les hommes étaient égaux en droit, et ajouter que de la réunion de leurs volontés souveraines naîtrait une volonté générale, fondatrice d'un pouvoir accepté. C'est ce que fait Jean-Jacques Rousseau dans *Le Contrat social*.

Inaugurée en 2001, cette statue du chevalier de la Barre remplace, square Nadar à Paris, un précédent monument que le régime de Vichy avait fait fondre en 1941, pour contribuer à l'effort de guerre allemand.

L'idée de tolérance, qui s'impose à partir de la fin du XVIe siècle, résulte d'une volonté d'en finir avec les drames des guerres de Religion.

La rupture de 1789

La Révolution de 1789 n'a pas été « antireligieuse ». Pourtant, la société et la nouvelle conception du pouvoir qui naissent avec elle reposent sur des principes radicalement nouveaux.

Cultes révolutionnaires

La période révolutionnaire voit l'émergence de cultes nouveaux : le culte de l'Être suprême, institué par Robespierre et celui de la déesse Raison, initié par Danton.

La laïcisation des fondements du pouvoir

En proclamant dans son article 3 que « *Le principe de toute souveraineté réside essentiellement dans la Nation* », la *Déclaration des droits de l'homme et du citoyen*, adoptée le 26 août 1789, met un terme à l'alliance du trône et de l'autel qui faisait de la France de l'Ancien Régime un État confessionnel. Le principe de légitimité du pouvoir, fondé sur la prédestination divine de la famille royale, n'est plus d'actualité. Désormais, le pouvoir dispose d'un fondement rationnel. Le catholicisme cesse d'être religion d'État et la liberté de conscience* est reconnue au bénéfice de l'ensemble des hommes, « *libres et égaux en droits* ». Un nouveau calendrier voit le jour en 1792. Lorsque seront créés les départements, en 1790, il sera décidé de leur donner des dénominations excluant toute référence religieuse.

Cette laïcisation des fondements du pouvoir n'est pas immédiatement suivie d'une séparation des Églises et de l'État. Les révolutionnaires préfèrent rendre une Église catholique indépendante du Saint-Siège plutôt que séparée de l'État. La Constitution civile du clergé*, qui impose au clergé catholique de prêter un serment constitutionnel, prolonge l'ancienne tradition gallicane* de la monarchie française. Par ailleurs, le catholicisme perd le monopole dont il disposait sous l'Ancien Régime et cohabite désormais, à égalité de droits, avec les autres religions. Ce sont l'opposition du clergé réfractaire puis l'insurrection vendéenne qui convaincront le Directoire d'organiser une première séparation des Églises et de l'État (1795).

« [...] *C'est le peuple qu'il faut doter de l'Éducation nationale. Quand vous semez dans le vaste champ de la République, vous ne devez pas compter le prix de cette semence. Après le pain, l'éducation est le premier besoin du peuple.* » Danton, discours à la Convention nationale, le 13 août 1793.

invention | le modèle français | au-delà des frontières

La laïcisation de l'état civil

Sous l'Ancien Régime, il incombait à l'Église catholique de recevoir les actes marquant la vie civile d'un individu, de sa naissance à sa mort.

Gravure de Huyot représentant un mariage à l'époque révolutionnaire.

Pendant la période d'application de l'édit de Nantes (instauré en 1598) ou après l'édit de tolérance (1787), ce monopole avait été partiellement écorné, notamment en ce qui concerne les non-catholiques. Toutefois, l'idée que la plupart des actes de la vie civile – notamment le mariage – constituaient des sacrements, empêchait toute laïcisation de l'état civil. La Constitution de 1791 met un terme à cet état de fait. Désormais, le mariage est considéré comme un contrat civil. Plus tard, un décret de septembre 1792 en confiera la célébration aux officiers municipaux et donnera aux communes le pouvoir exclusif de recevoir et de conserver l'ensemble « *des actes destinés à constater les naissances, les mariages et les décès* ». Devenu un simple contrat civil, le mariage perd alors son caractère d'indissolubilité, et le divorce est reconnu (1792).

La laïcisation de l'enseignement

Sous l'influence de Condorcet*, s'engage une réflexion visant à soustraire l'enseignement scolaire à l'influence de l'Église. Il propose de « *n'admettre dans l'instruction publique l'enseignement d'aucun culte* ». En 1793, les collèges confessionnels sont privés de ressources par la vente de leurs biens, et leur personnel astreint à prêter serment. Au mois d'août de la même année, les congrégations sont interdites et, sous l'impulsion de Joseph Lakanal, la Convention crée des « écoles centrales départementales » qui devaient accueillir leurs premiers élèves en 1796. Cette amorce d'un monopole public est cependant partiellement battue en brèche sous le Directoire (1795-1799), qui tolérera le développement d'un enseignement privé à côté de l'enseignement d'État.

Les Églises et non l'Église

Du fait de la place dominante de l'Église catholique en France, lorsque l'on parle de l'Église, c'est d'elle qu'il s'agit. Par contre, lorsqu'il est question de séparation des Églises et de l'État, c'est logiquement l'ensemble des cultes qui sont concernés.

La Révolution française marque le point de départ d'une laïcisation de la société et des institutions françaises.

une société devenue complexe | la permanence des interrogations | approfondir

La pacification napoléonienne : le Concordat

Le refus par le pape de la Constitution civile du clergé*, puis les guerres de Vendée, avaient abouti à un divorce entre la Révolution et l'Église catholique. Avec le Concordat, Bonaparte amorce une pacification.

Gravure populaire
représentant
la signature
du Concordat (1802).

Les enjeux de la négociation

La prise du pouvoir par Napoléon Bonaparte, à la suite du coup d'État du 18 brumaire (novembre 1799), avait été suivie d'un mouvement de restauration de l'influence de l'Église catholique. Profitant d'un rapport de force qu'il sait lui être favorable, Bonaparte s'attache à faire de l'Église l'un des instruments de son autorité, tout en évitant de lui redonner son ancienne puissance. Les négociations pour aboutir au Concordat* sont inspirées du souci de ne pas laisser se reconstituer une puissance, l'Église, qui ne soit pas soumise à l'autorité de l'État. Trois questions doivent trouver solution. Celle du statut du catholicisme, celle du sort des évêques en fonction, celle, enfin, des biens nationaux. À la première question, il est répondu que le catholicisme sera la religion « de la grande majorité des citoyens ». En deuxième lieu, il est décidé que l'ensemble des évêques en fonction, qu'ils soient constitutionnels ou réfractaires, devra démissionner pour permettre à Bonaparte d'en désigner de nouveaux. Enfin, le pape accepte de renoncer à toute revendication sur les biens d'Église devenus biens nationaux. Plutôt que de recevoir une indemnité compensatrice d'un milliard, le Vatican retient la proposition de faire salarier les membres du clergé par l'État.

Le négociateur
Pour négocier le Concordat, Bonaparte désigna un prêtre chouan : Bernier.

invention | le modèle français | au-delà des frontières

Le contenu du texte

L'unité de l'Église catholique française est rétablie et l'expérience révolutionnaire abandonnée. Les nouveaux évêques, un par département, sont nommés par le Premier consul, en accord avec le pape qui leur confère l'investiture canonique. L'Église reconnaît la primauté de l'État et avalise les évolutions consacrées dans le Code civil. Les prêtres sont également nommés par l'État, sur proposition des évêques qui les consacrent. Les ministres du culte sont payés par l'État, et les paroisses deviennent des établissements publics. Certes, des sacrifices incontestables sont imposés à l'Église catholique. Ils seront renforcés par certains des articles organiques contenus dans la loi qui approuve le Concordat, et qui seront rajoutés unilatéralement au texte négocié, pour faire de cette Église l'instrument de la puissance et de la gloire napoléonienne. Cependant, le catholicisme en retire d'évidents avantages. Seule contrainte réelle, mais elle était inévitable à moins d'annuler l'œuvre de la Révolution : l'Église catholique doit cohabiter avec d'autres cultes, eux aussi reconnus, mais par la loi, et contraints de s'organiser, à savoir, les Églises calvinistes et luthériennes et la religion juive.

L'œuvre napoléonienne

Outre le Concordat, le régime napoléonien voit l'adoption du Code civil qui confirme le caractère civil du mariage et l'institution du divorce.

Le destin du texte

En dépit d'une négociation longue et d'une approbation laborieuse, le Concordat régira les relations entre l'Église catholique et l'État jusqu'en 1905. L'Église en tant qu'ordre, avec son immense patrimoine, est passée, mais c'est également le rêve révolutionnaire d'une refondation religieuse qui s'éteint. Encore aujourd'hui, le Concordat est appliqué dans les départements d'Alsace, en Moselle et dans le grand-duché de Luxembourg. En dépit de cette longévité d'application, il a été vécu par certains opposants, fidèles aux idéaux de 1789, comme une trahison des victimes républicaines des guerres de Vendée et, par les royalistes ultras*, comme une capitulation.

Avec le Concordat, l'Église catholique rompt avec l'Ancien Régime et accepte certaines des conquêtes majeures de la Révolution.

La réaction cléricale

La Restauration des Bourbons, en 1815, s'accompagne d'un esprit de revanche religieuse. Bien que le Concordat ne soit pas remis en cause, une nouvelle alliance du trône et de l'autel s'établit.

De l'esprit ultra à l'Ordre moral

Louis XVIII, modéré, avait émis le souhait de ne pas être le « *roi de deux peuples* ». Mais le courant monarchiste ultra*, à la tête duquel se trouvait le futur Charles X (frère du roi), nourrissait le désir de tailler en pièces tout ce qui représentait l'héritage révolutionnaire. Cette volonté de revanche se colore d'un cléricalisme de combat, théorisé par Félicité de Lamennais, notamment dans son ouvrage *Essai sur l'indifférence en matière religieuse* (1817-1843). La légitimité du pouvoir royal est, à nouveau, fondée sur le droit divin. Charles X se fera d'ailleurs sacrer à Reims, dans le respect du vieux cérémonial de l'Ancien Régime. Plusieurs lois, inspirées d'une idéologie clairement contre-révolutionnaire, reviennent sur certains des acquis les plus symboliques des régimes antérieurs. Ainsi, la loi sur le « milliard des émigrés » indemnise leurs anciens propriétaires, à défaut de prononcer la restitution des biens nationaux. Même chose pour la loi sur le sacrilège ou la loi sur les congrégations de femmes. La révolution de 1830 ne met pas un terme à l'offensive cléricale qui, de Louis-Philippe Iᵉʳ aux lendemains de la Commune de Paris, se fait plus conservatrice, sans pour autant cesser de connaître des poussées contre-révolutionnaires. L'Église, et la diffusion des vérités dont elle s'estime détentrice, sont vues comme d'utiles instruments favorisant la docilité du peuple. Les notables ont besoin de l'obéissance que l'Église enseigne, à l'inverse de ces « *affreux petits rhéteurs* » que sont les instituteurs,

La réaction européenne

La réaction contre-révolutionnaire ne se limite pas à la France. L'Europe issue du congrès de Vienne (1815), dont les travaux seront influencés par le chancelier Metternich, est marquée par une réaction autoritaire des rois qui veulent enfermer les peuples.

invention | le modèle français | au-delà des frontières

selon Adolphe Thiers (juin 1848). Il faut dire que l'Église, notamment sous le règne de Pie IX, s'enferme dans une attitude antimoderniste bornée dont l'expression la plus caricaturale est le *Syllabus** (1864).

Les projets des ultras

En 1815, les ultras, attachés à un retour à l'Ancien Régime, tentent – parmi d'autres projets de réformes comme la restitution à l'Église de la tenue des registres d'état civil – d'imposer la négociation d'un nouveau Concordat. Ces projets, excessifs, échouent.

Les manifestations de la réaction cléricale

N'ayant pas la possibilité de remettre en cause le Concordat napoléonien, les divers régimes vont tenter d'en utiliser les failles ou d'en transformer l'esprit. Ainsi, tout en proclamant la liberté religieuse, la Charte de 1814 rétablit la religion catholique comme religion d'État. Le Concordat* ne s'appliquant pas au clergé régulier (membres des ordres religieux) et aux congrégations*, ce silence est mis à profit pour favoriser leur développement. C'est dans le domaine de l'enseignement que la réaction cléricale se fait sentir de la façon la plus vive. Si le monopole de l'Université, mis en place par Bonaparte, n'a jamais été réellement remis en cause de façon frontale, sauf avec la loi de 1875 qui marque l'ultime avancée législative d'un cléricalisme éducatif, diverses mesures en transformeront l'esprit. Une ordonnance du 8 avril 1824 imposa aux instituteurs de posséder un certificat d'instruction religieuse. La loi du 28 juin 1833 permet à l'Église et à l'État d'être reconnus comme les « *seules puissances efficaces* » – selon le mot de Guizot* (auteur de la loi) – en matière d'enseignement primaire. Si l'enseignement public est généralisé, l'instruction morale et religieuse est matière obligatoire, et le clergé, sous certaines conditions de diplôme, acquiert une réelle indépendance. La loi Falloux, adoptée au mois de mars 1850, renforcera l'enseignement confessionnel. L'Église voit son influence sur l'enseignement public accrue et sa liberté d'ouvrir des écoles privées renforcée.

Entre la chute du Premier Empire et l'établissement de la IIIe République, une résistance, tantôt ouvertement contre-révolutionnaire, tantôt simplement conservatrice, tente de remettre en cause les conquêtes laïques de la Révolution française.

La laïcité s'affirme anticléricale

En contrepoint de la réaction cléricale, le combat laïque change de nature. L'Église conquérante devient un adversaire qu'il convient de combattre, dans ses idées autant que dans ses pratiques.

Exemple
d'anticléricalisme
de combat,
un arrêté communal
de 1900.

« Ah ! Nous connaissons le parti clérical [...]. Tous les pas qu'a fait l'intelligence de l'Europe, elle les a faits malgré lui. »
Victor Hugo.

Les deux France

Face à une Église catholique recluse dans ses certitudes, se dessine une vision du monde détachée de toute référence religieuse. Sous les pontificats de Grégoire XVI (1831-1846) et de Pie IX (1846-1878), l'Église – dont la pensée est relayée en France par Louis Veuillot dans son journal *L'Univers* – se révèle incapable d'accepter le monde moderne. Celui-ci, en revanche, se passe bien d'elle, avec ses découvertes et sa reconnaissance de l'autonomie de l'individu. L'anticléricalisme* apparaît comme une réponse naturelle et nécessaire pour tous ceux qui continuent de croire à cette « idée neuve » qu'est le progrès, et qui voient dans les conquêtes politiques de la Révolution française le début de temps nouveaux. Déiste et philosophique au début du XIX⁰ siècle, l'anticléricalisme devient, au fil du siècle, plus radical et, parfois, clairement athée. Pour Proudhon, « *Dieu, c'est le mal* ». Lamennais, revenu de ses anciens engagements, va jusqu'à demander la séparation de l'Église et de l'État et suggère la disparition du clergé. Le positivisme d'Auguste Comte, qui rejette l'« État théologique » dans une sorte de préhistoire de la pensée, constitue le ferment de tout un courant scientiste, prolongé par Émile Littré (1801-1881). La traduction française de *L'Origine des espèces* de Darwin, fait écho aux « apparitions » de Lourdes. À un anticléricalisme savant, développé depuis les chaires de l'université ou du Collège de France par Jules Michelet* ou Edgar Quinet*, s'oppose un anticléricalisme plus populaire, qui s'exprime en diverses manifestations contre les représentants de l'Église.

invention | le modèle français | au-delà des frontières

Les thèmes de l'anticléricalisme

L'Église ne constitue pas une société comme les autres. Soumise à ses lois et à ses dogmes, elle ne s'estime tenue de respecter la loi commune que lorsqu'elle ne contredit pas les siennes. La critique est d'autant plus forte que s'accentue le particularisme du statut des clercs. Les congrégations régulières – et plus nettement encore les jésuites – sont particulièrement visés, notamment par le chansonnier Béranger. Ils sont accusés de corrompre l'État en menaçant son unité et son indépendance. On fait également reproche à l'Église de diffuser une morale faite de soumission, alors que ses clercs ne craignent pas de s'affranchir des obligations qu'ils imposent. L'unité de la famille, l'avenir de la jeunesse, ne peuvent que souffrir du maintien de son influence. Ceci explique la formulation, dès le début du XIXᵉ siècle, de revendications en faveur d'une séparation de l'Église et de l'État, que proposait, avec prudence, l'homme politique et écrivain Benjamin Constant (1767-1830). Edgar Quinet la reprend en y associant le désir de voir créer une école laïque.

> « Qu'est-ce donc que ce prodige d'une Église qui se dit nationale, et qui toujours se glorifie de ce qui nous désespère, et se désespère de ce qui nous glorifie ? Nous périssons, elle s'élève ; si nous nous élevons, elle périt. »
> Edgar Quinet, *Le Christianisme et la Révolution française*.

Le début d'organisation du combat laïque

Cet anticléricalisme doit cependant rapidement s'organiser. Tout au long du XIXᵉ siècle, la presse lui sert de principal canal d'expression. Quelques journaux, à la durée de vie plus ou moins longue, sont restés célèbres comme *La Tribune*, *Le Globe*, *Liberté de penser*, *la Presse* d'Émile Girandin, *Le Siècle* et *L'Avenir* d'Eugène Pelletan. La plupart des grandes plumes du temps y apportent leur contribution. Des poètes, comme Victor Hugo, des chansonniers, comme Béranger, prêtent leur talent ou leur verve au travail de dénonciation des méfaits du parti clérical. Des organisations se fondent, de façon modeste au départ, puis animées d'un militantisme sans cesse plus résolu. La Libre-Pensée, première organisation laïque militante, née au milieu du XIXᵉ siècle, va construire un discours au radicalisme sans cesse plus affirmé.

> C'est clairement en réaction contre l'activisme des cléricaux que va naître une prise de conscience de ses dangers. Une critique laïque apparaît, relayée par les premières manifestations de militantisme.

Le socle laïque : l'œuvre de la IIIe République

La répression de la Commune de Paris a, pour un temps, anéanti la combativité républicaine. L'aveuglement du parti de l'Ordre moral* montre la nécessité de prolonger la laïcisation des institutions.

Service militaire

En 1889, le Parlement décide de soumettre les séminaristes, qui en étaient jusque-là exemptés, à un service militaire d'un an.

Une école gratuite, laïque et obligatoire

Si Gambetta* fut le premier à engager la reconquête républicaine, c'est le nom de Jules Ferry qui reste attaché à la construction du socle du système éducatif français à partir de 1879. Tous les degrés d'enseignement sont concernés. Dans l'enseignement supérieur, la loi du 18 mars 1880 interdit aux établissements privés de prendre le titre d'université. L'État retrouve le monopole de l'attribution des grades universitaires. Dans le secondaire, la loi du 21 décembre 1880 crée un enseignement pour les jeunes filles. C'est cependant l'enseignement primaire, celui qui alphabétise et aide les hommes à devenir citoyens, qui retiendra l'essentiel de l'attention et des efforts de Jules Ferry. La loi du 16 juin 1881 instaure une gratuité totale, complétée par la loi du 28 mars 1882, faisant obligation de scolariser les enfants. Ensuite, et surtout, est introduite une laïcisation des programmes qui se traduit par la suppression de l'enseignement du catéchisme. Enfin, la loi du 30 octobre 1886 impose dans les écoles publiques la présence d'un personnel enseignant exclusivement laïque.

Liberté d'association

La loi du 1er juillet 1901 fixe, pour la première fois, un cadre particulièrement souple d'exercice de la liberté d'association. Dans son titre III, elle soumet les congrégations religieuses à un régime d'autorisation particulièrement rigoureux.

La laïcisation du statut personnel et de la vie sociale

Le processus de laïcisation va être étendu à d'autres secteurs de la vie sociale. Le divorce, un temps supprimé en 1816, est rétabli en 1884. La liberté des funérailles est instaurée par une loi de 1887 après qu'eut été supprimée l'obligation, en 1881, de déclarer le culte d'appartenance du défunt. Dans un cadre plus local, les conseils

invention | le modèle français | au-delà des frontières

municipaux prolongent l'application de la législation nationale en contribuant à la création d'écoles publiques et en organisant au sein des hôpitaux le remplacement progressif des religieuses par des infirmières laïques. Dans le même temps, la liberté des cultes est réaffirmée, mais avec un statut qui lui enlève privilèges ou contraintes supérieures à celles des autres convictions. C'est ce souci de mise en place d'un droit commun des modes collectifs d'expression des convictions qui conduit à l'adoption de la loi de 1901, laquelle organise la liberté d'association et définit le régime des congrégations, désormais soumises à autorisation. Le silence conservé à leur sujet par le Concordat* prend fin.

Photo extraite du film *Topaze* (Louis Garnier, 1932), d'après l'œuvre de Marcel Pagnol. C'est Louis Jouvet qui interprète le rôle de l'instituteur.

La séparation des Églises et de l'État

Jules Ferry, ainsi que les républicains modérés, ne souhaitaient pas de séparation. Pour eux, il fallait que la généralisation de l'enseignement laïque ait fait évolué les esprits pour songer à sortir du système concordataire. À l'inverse, les militants de La libre-pensée soutenaient l'exigence d'une séparation rapide et radicale. C'est l'Église catholique, violemment opposée à la laïcisation de l'école, et l'intransigeance du Vatican face à l'application de la loi de 1901 aux congrégations, qui devaient rendre la séparation inéluctable. Le projet de loi, préparé par le gouvernement Combes*, devait finalement être adopté par le Parlement sous le gouvernement Rouvier, le 9 décembre 1905. Aristide Briand, rapporteur du projet, ainsi que Jean Jaurès, en font un texte de conciliation, acceptable par les catholiques modérés. Dorénavant, ainsi que le précise l'article 1er de la loi : « *La République ne reconnaît, ne salarie, ni ne subventionne aucun culte.* »

La IIIe République (1875-1940) fut contrainte d'être anticléricale face à ses adversaires catholiques qui voyaient dans la laïcité l'exact contraire de leur vision du monde. Elle ne fut jamais antireligieuse.

La reconnaissance constitutionnelle

Le naufrage de l'humanisme et des principes républicains, au cours du régime de Vichy, impose une reconnaissance constitutionnelle du principe de laïcité.

La Constitution de 1946

Dans la *Déclaration des droits de l'homme* qui sert de préambule au premier projet de Constitution, la laïcité des pouvoirs et de l'enseignement public, ainsi que la séparation des Églises et de l'État, sont fortement rappelées. Elles constituent une garantie essentielle de la liberté de conscience et de culte. La laïcité devient un moyen au service d'une fin. Sa fonction initiale de « privatisation » de la croyance, exprimée dans la loi de 1905, s'est quelque peu estompée. Ce projet devait être rejeté par référendum. Le texte final de la Constitution du 27 octobre 1946 fait référence au concept de laïcité à diverses reprises. Après avoir rappelé, dans son préambule, l'interdiction de toute discrimination fondée sur la religion et précisé que « *l'organisation de l'enseignement public gratuit et laïque à tous les degrés est un devoir pour l'État* », elle affirme dans son article 1er que « *la France est une République indivisible, laïque, démocratique et sociale* ». Formule solennelle, dont l'adoption à la quasi-unanimité cache mal l'ambiguïté. Pour certains,

---

**La position du MRP
(parti démocrate-chrétien)**

« *L'État a le devoir, alors que la nation est composée de personnes qui n'ont pas les mêmes croyances, de permettre à chacun des citoyens de vivre conformément aux exigences de sa conscience.* »
Maurice Schumann, lors de débats à l'Assemblée constituante, le 4 septembre 1946.

---

invention | le modèle français | au-delà des frontières

elle se réduit à la constatation d'une nécessaire neutralité de l'État. Pour d'autres, elle prolonge la loi de 1905 sur la séparation des Églises et de l'État. L'histoire des IVᵉ et Vᵉ Républiques devait démontrer que cette promotion constitutionnelle de la laïcité ne mettait pas un terme aux polémiques relatives, notamment, au financement privé de l'enseignement public.

> **La position de l'Église catholique**
>
> En 1945, tout en admettant la laïcité, l'Église souligne qu'elle ne peut être conçue comme « *la volonté de l'État de ne se soumettre à aucune morale supérieure* ».

La Constitution de 1958

En ce qui concerne la reconnaissance de la laïcité, la constitution de la Vᵉ République conforte largement le texte de 1946. Son préambule proclame l'attachement du peuple français aux droits définis dans la *Déclaration* de 1789 et dans le préambule de la Constitution de 1946, conférant ainsi une autorité constitutionnelle à ces deux textes. Par ailleurs, son article 1ᵉʳ reprend la formule qui figurait déjà dans la Constitution de 1946, en précisant cependant que la République « *assure l'égalité devant la loi de tous les citoyens sans distinction d'origine, de race ou de religion. Elle respecte toutes les croyances* ». En dépit de la clarté de ces formules et à cause de l'absence de toute réelle définition de la notion de laïcité, dans laquelle chacun peut être tenté de voir le reflet de sa propre lecture, l'on peut s'interroger sur le degré de contrainte juridique qu'elles recèlent. Le Conseil d'État n'a pas craint de faire référence à la laïcité, tant dans ses avis que dans ses arrêts, notamment dans l'affaire dite du « foulard islamique ». Le Conseil constitutionnel, par contre, est resté jusqu'à ce jour d'une étonnante prudence, préférant avoir recours à des notions plus traditionnelles, comme celle d'égalité. Cette pusillanimité s'est exprimée notamment lors de l'examen de la constitutionnalité des dispositions législatives permettant aux collectivités territoriales de subventionner les investissements des établissements d'enseignement privé (décision du 13 janvier 1994).

> Dotée d'une reconnaissance constitutionnelle, la laïcité apparaît davantage comme l'expression d'une conception de l'État que comme une règle contraignante. Seule la loi, lorsqu'elle s'y réfère, comme en matière d'enseignement, recèle une contrainte réelle.

Les mots pour le dire

La laïcité est à la fois un terme et un concept. L'un renvoie à une étymologie, l'autre à une signification particulière.

Une étymologie vagabonde

Le terme « laïc », à partir duquel fut construit le substantif laïcité, nous vient du grec *laos*, mot qui désigne le peuple, considéré comme un tout, à la fois indivisible et indifférencié. Il ne s'agit pas ici du peuple dans sa dimension politique, le *demos*. Ni même du peuple perçu au travers de ses caractéristiques culturelles ou civilisatrices, l'*ethnos*. Il faut le comprendre comme l'ensemble des êtres humains vivant ensemble à un moment déterminé, quelles que soient leurs origines, leurs croyances, leurs aspirations. À cette première racine, s'en est adjointe une seconde, du latin ecclésiastique *laicus*. Est « laïc » ou « laïque », toute personne soustraite à l'état de religieux, toute réalité placée hors de l'emprise institutionnelle d'une Église. Ainsi, dès le milieu du XIXᵉ siècle, Edgard Quinet* parle-t-il d'enseignement laïque pour l'opposer à l'enseignement des congrégations. Ce n'est qu'en 1871 que le substantif apparaît pour caractériser, de façon plus large, les ambitions du combat des républicains contre le cléricalisme conservateur.

La recherche d'improbables synonymes

La tolérance religieuse a été défendue en France et en Angleterre par un certain nombre de philosophes pour mettre un terme aux guerres de Religion. Toutefois, même si la tolérance constitue un progrès évident (l'adoption de l'édit de Nantes en 1598 en est la preuve), elle suppose, de la part de celui qui l'exerce, une certaine condescendance. En effet, de façon plus ou moins consciente, la tolérance repose sur l'assurance d'une supériorité de la conviction

Contrat social

Partant de postulats différents, et aboutissant à des conclusions contradictoires, Hobbes, Spinoza et Rousseau considèrent que la construction de la société suppose la conclusion d'un pacte social préalable.

invention | le modèle français | au-delà des frontières

de celui qui tolère. La tolérance n'est pas nécessairement absolue : n'en bénéficient que les comportements ou les convictions qui en sont jugés dignes (l'édit de Nantes ne disait rien des juifs, John Locke refusait de tolérer les athées*), elle peut être réversible. Pour se rapprocher de la laïcité, la tolérance doit devenir mutuelle et reposer sur l'affirmation d'une égalité entre les diverses convictions.

Pour d'autres, la laïcité se confondrait avec la sécularisation*. Ce terme désigne des réalités sensiblement différentes. Tantôt elle exprime la perte progressive d'influence sociale des religions, tantôt elle décrit le transfert aux autorités civiles de compétences jusque-là détenues par une Église. Aucune de ces deux acceptions n'en fait un équivalent de la laïcité. L'une se limite à un constat sociologique, l'autre s'en tient à une analyse simplement formelle.

Les conditions de la laïcité

Pour qu'il y ait laïcité, il convient d'abord qu'existe un espace public au sein duquel puisse se construire la *res publica*. Dans cet espace public, chaque homme est reconnu comme individu, indépendamment des convictions ou appartenances qu'il peut revendiquer par ailleurs. En marge de l'espace public, subsiste l'univers des identités sociales, des recherches personnelles de sens. Mais ces deux mondes doivent être rigoureusement séparés, les qualités qui permettent de s'y mouvoir n'étant pas de même nature. Cette séparation explique l'impossibilité pour l'État de s'intéresser à l'espace privé autrement qu'en fixant des limites générales à l'expression des singularités. C'est ce que l'on appelle l'ordre public. Il faut ensuite que l'homme soit libre de ses croyances et de leur expression dans l'espace privé, aussi bien à l'égard de l'État que des autres convictions. Il y a dans cette liberté un refus obstiné de toute assignation. Enfin, tous les hommes doivent être reconnus égaux en droits.

Tolérance

La tolérance n'est réellement acceptable qu'entre individus égaux qui savent pouvoir se tromper et font de la confrontation de leurs opinions l'instrument de découverte de leur possible erreur.

Reposant sur une égalité de droits et sur l'affirmation d'une liberté absolue de conscience*, la laïcité est garantie par la séparation de l'espace public et de l'espace privé, contrôlée par l'État.

Quelques figures

La laïcité a eu ses penseurs, exigeants
et souvent en rupture avec l'esprit
du temps. Elle a aussi eu ses acteurs,
résolus à faire entrer dans les faits
les réformes qu'ils estimaient nécessaires.

Les penseurs de la laïcité

Un nom s'impose immédiatement, celui de
Condorcet (1743-1794). Brillant mathématicien,
il sera, avant que n'éclate la Révolution, l'une des
figures dominantes de la pensée philosophique.
Dès l'Ancien Régime, Condorcet milite en faveur
de l'abolition de l'esclavage et des droits féodaux et,
déjà, revendique une stricte égalité entre les hommes
et les femmes. En 1764, il préside la Société des amis
des Noirs. S'il accepte la *Déclaration des droits
de l'homme et du citoyen* de 1789, il lui reproche
d'ignorer les femmes et regrette également l'oubli
du suffrage universel. Son projet sur l'organisation
générale de l'instruction publique, présenté devant
l'Assemblée législative les 20-21 avril 1792, annonce
des réformes qui ne seront opérées que près
d'un siècle plus tard. Lui qui, farouche
opposant à la peine de mort, avait refusé
de voter la mort de Louis XVI, finit sa vie
comme un proscrit, victime de son courage
et de sa lucidité. Sa mort – suicide ou
exécution – reste un mystère. Condorcet
laissera, au travers de son *Esquisse d'un
tableau des progrès de l'esprit humain*,
un véritable testament politique du
XVIIIe siècle. Ses enseignements sont
prolongés par le courant positiviste,
dominé par la personnalité et l'œuvre
d'Auguste Comte (1798-1857). Véritable
inventeur de la sociologie moderne, il crée
des outils scientifiques d'analyse des

Waldeck-Rousseau

Faisant écho
au « *milliard des émigrés* »
réclamé par Charles X,
Waldeck-Rousseau* envisage,
dans son discours de Toulouse
(28 octobre 1900),
le prélèvement du « *milliard
des congrégations* » pour
aider au financement de
l'école républicaine. Il reste
l'initiateur de deux lois
importantes : la loi de 1884
sur les syndicats, et la loi
de 1901 sur la liberté
d'association.

---

invention | le modèle français | au-delà des frontières

phénomènes sociaux. Prolongé par Émile Littré (1801-1881), ce courant positiviste influencera de façon décisive la pensée laïque, notamment dans le dernier tiers du XIXe siècle.

Un dernier nom doit être mentionné, tant pour souligner son importance que pour réparer l'injustice de l'oubli dans lequel il est tombé. Il s'agit de Charles Renouvier (1815-1903), qui ajoute au déterminisme positiviste une dimension volontariste, empruntée au criticisme kantien. Le progrès est nécessaire, mais il est d'abord affaire de choix moral. Ceci l'a conduit à affirmer la suprématie morale de l'État, incarnation de l'idée de service public, sur les religions.

Les acteurs

Le premier auquel on songe est Jean Macé (1815-1896). Issu d'une famille modeste, fouriériste*, adversaire résolu du Second Empire, il lance en 1866 un appel au rassemblement de ceux qui souhaitent contribuer à l'enseignement du peuple. De cet appel naîtra la Ligue de l'enseignement. Viennent ensuite les proches collaborateurs de Jules Ferry* qui ont rendu possible l'œuvre de laïcisation de l'enseignement. Paul Bert (1833-1886), ministre de l'Instruction publique et des Cultes entre 1881 et 1882, permet l'adoption des textes fondateurs de l'école publique. Ferdinand Buisson* (1841-1932), nommé directeur de l'enseignement primaire au ministère de l'Instruction publique en 1879, devient un militant dreyfusard, et participe, à ce titre, à la fondation de la Ligue des droits de l'homme, en 1898.

Enfin, survient le temps de ceux qui réalisent la séparation des Églises et de l'État. Émile Combes* (1835-1921), couvert d'injures par ses adversaires cléricaux et injustement oublié par ses amis, sait, en utilisant l'arme de la loi de 1901 sur les associations, montrer la détermination de la République à contenir les congrégations. Il rend possible le vote de la loi de séparation en 1905.

> La laïcité française est davantage le fruit de la qualité des hommes qui en ont précisé les contours que des textes qui en ont organisé le régime.

Jules Ferry

Plus qu'un nom ou une œuvre, Jules Ferry est devenu un symbole. Il le doit à sa qualité d'acteur central de la laïcisation de l'école.

L'homme et le ministre

Jules Ferry* (1832-1893) a d'abord été un opposant républicain au Second Empire. C'est au nom de cet engagement qu'il est élu en 1869 député au Corps Législatif, fort des promesses que Léon Gambetta (1838-1882) avait synthétisées dans le programe des radicaux adopté à Belleville (1869). Ce programme devait servir de fil conducteur à l'action des républicains jusqu'à la fin du XIXe siècle. Ensuite, Ferry est élu membre de l'Assemblée nationale puis siège à la Chambre des députés avant de devenir, à la fin de sa vie, membre du Sénat, qu'il présidera d'ailleurs pendant deux mois. Sa carrière ministérielle commence en 1879, au poste de l'Instruction publique. Deux fois président du Conseil, de septembre 1880 à novembre 1881, puis de février 1883 au 30 mars 1885, il cumule, pendant une partie importante de ces deux périodes, son rôle de chef du gouvernement et celui de ministre de l'Instruction publique, qu'il avait également occupé entre janvier et juillet 1882. L'essentiel de sa carrière ministérielle est marqué par sa vigilante attention aux problèmes de l'enseignement.

Le républicain de gouvernement

Comme son contemporain Gambetta, Ferry considère que la République ne peut être fidèle à ses ambitions que dans la durée. Connaissant la nécessité

Testament politique

« Je suis un modéré, messieurs : on me le rappelle souvent. Je m'en fais honneur, et, par conséquent, je suis d'avis d'ouvrir très grandes les portes de la République. » Jules Ferry, discours de Vic-de-Bigorre, le 19 avril 1891.

invention   le modèle français   au-delà des frontières

des réformes, il sait que leur réalisation et leur solidité dépendent de leur adaptation aux aspirations du moment.

À l'inverse du courant socialiste, fortement suspicieux à l'égard des gouvernements, qui l'a précédé, et de celui, marqué d'idéologie, qui lui succédera, Ferry place sa confiance dans une action patiente, obstinée, appuyée sur la maîtrise d'un pouvoir stable. Ceci explique une certaine prudence qui ne l'empêchera pas, en 1883, d'accepter une épuration temporaire de la magistrature pour la convaincre de respecter les institutions républicaines ; ni d'accepter

> **La lettre aux instituteurs**
>
> « *Au moment de proposer aux élèves un précepte, une maxime quelconque... demandez-vous si un père de famille, je dis un seul, présent dans votre classe et vous écoutant, pourrait de bonne foi refuser son assentiment à ce qu'il vous entendrait dire.* »
> **Jules Ferry, le 27 novembre 1883.**

en 1884 une révision, il est vrai limitée, des lois constitutionnelles de 1875, afin d'en faire disparaître les stigmates monarchistes (inéligibilité à la présidence des princes, suppression des sénateurs inamovibles).

L'œuvre scolaire

L'immense appareil législatif d'où doit sortir l'école publique laïque et obligatoire est d'abord l'œuvre d'un libre-penseur, marqué par le positivisme. Membre du Grand Orient de France, Jules Ferry y est reçu le même jour et dans la même loge qu'Émile Littré (1801-1881). La seule morale que Ferry envisage trouve ses racines dans une conscience humaine libérée des contraintes théologiques et permettant de « *marcher librement à la conquête du monde* ». Héritier de penseurs tels que Kant, Condorcet*, Comte, Edgar Quinet* et Renouvier, il va réaliser cet immense rêve d'une école « *sans prêtres et sans catéchisme* », délivrant, en sus du savoir, une instruction « morale et civique » à la place de l'instruction « morale et religieuse ». Lutte contre les congrégations enseignantes, mise en place d'une formation des maîtres, instauration de la gratuité puis de l'obligation scolaire, affirmation d'une totale neutralité confessionnelle de l'enseignement, interdiction de recrutement d'ecclésiastiques dans l'enseignement public, il n'est pas une question relative à l'enseignement qui ait échappé à la détermination de Jules Ferry.

> Personne n'a laissé d'empreinte aussi forte et durable que Jules Ferry. Si la France peut s'affirmer laïque, c'est à lui qu'elle le doit.

La question scolaire

L'idéal républicain de formation des citoyens à la liberté a placé la question de l'école au cœur de l'ambition laïque.

L'école comme service public

Pour que l'école soit soustraite à l'influence de ceux qui souhaitaient former des âmes avant d'enseigner à des hommes, il fallait que son organisation devienne une ardente obligation pour l'État, et, qu'en même temps, l'État l'affranchisse de toute influence religieuse. C'est ce que revendiquait déjà Condorcet* sous la Révolution. C'est ce que réalisent les lois Ferry (1881-1882-1886). Aujourd'hui, sous l'éclairage du préambule de la Constitution de 1946, cette exigence imposée à l'État n'est plus discutée. Plusieurs conditions ont dû être remplies pour qu'elle prenne corps. L'enseignement dispensé devait être obligatoire, c'est-à-dire gratuit, fondé sur des programmes respectant une stricte neutralité et dispensé par des maîtres libérés de toute appartenance confessionnelle. À quelques détails près, comme la durée de l'obligation scolaire ou la reconnaissance de droits nouveaux aux parents puis aux élèves, le service public de l'enseignement tel qu'il fonctionne aujourd'hui respecte ces principes.

Le problème de la liberté de l'enseignement

« Je n'admets pas que l'on mendie sous une forme quelconque l'argent de l'État quand, librement, spontanément, l'on s'est placé en dehors de lui. » **Abbé Lemire, discours à la Chambre des députés en 1921.**

Au milieu du XIXᵉ siècle, c'est au nom de la liberté de l'enseignement que les représentants du catholicisme ultramontain* ont tenté de saper le monopole de l'Université napoléonienne. Dans un premier temps, l'État a été contraint de reconquérir le terrain occupé par les congrégations enseignantes. C'est en partie contre elles que s'est engagée la bataille scolaire, notamment au moyen de la loi de 1901* sur la liberté d'association. Après la fin de la Seconde Guerre mondiale, la question de la liberté de l'enseignement

invention | le modèle français | au-delà des frontières

est devenue celle du financement public des établissements d'enseignement privé. Sous l'influence des démocrates-chrétiens du MRP, un certain nombre de mesures financières d'aide aux familles ont été prises, qui devaient préparer l'instauration d'un système contractuel, véritable concordat scolaire, réalisé par la loi Debré du 31 décembre 1959. Trois solutions ont été proposées à l'enseignement privé. Soit une liberté totale, soit une intégration pure et simple dans le service public, soit la conclusion de contrats, simples ou d'association, par lesquels, en contrepartie d'un droit de regard, notamment sur les programmes, l'État prendrait en charge les dépenses de fonctionnement. L'adoption de cette loi a provoqué une importante mobilisation du camp laïque. Cependant, les tentatives pour la remettre en cause ont échoué, qu'il s'agisse, dans le sens d'un renforcement de la laïcité, du projet de création d'un grand service public de l'éducation, en 1984, ou en sens inverse, en 1993, d'un essai d'élargissement du financement public aux dépenses d'investissement.

« Une salle de classe n'est pas le métro, et le service public de l'éducation n'est pas la RATP... L'école est un lieu où sont suspendus, d'un commun accord, les particularismes et les conditions de fait. »
Régis Debray, *L'Exception laïque française,* **1990.**

L'enseignement des religions

Fidèle au principe de neutralité, la loi du 28 mars 1882 exclut l'instruction religieuse des programmes de l'enseignement primaire. Un jour par semaine lui est réservé, mais elle doit être dispensée en dehors des locaux scolaires. Une solution plus souple sera retenue dans l'enseignement secondaire avec la création d'aumôneries. La question de l'enseignement sur les religions à l'école rebondit aujourd'hui. La compréhension de divers phénomènes historiques ou culturels serait inséparable de leur environnement religieux. Or, avec le mouvement de désaffection religieuse, les enfants comprennent moins l'importance ou la portée de cet environnement. Les laïques soulignent que, plus qu'un enseignement spécifique, ce qui est en cause, et qu'autorisent déjà les programmes, c'est l'introduction, dans les enseignements d'histoire ou de philosophie, d'une analyse de la place du phénomène religieux.

C'est autour du statut de l'école et de son évolution que se sont focalisées les mobilisations (1959, 1994) ou fixées les désillusions (1984) des organisations laïques.

La séparation des Églises et de l'État

Si les lois Ferry ont été l'instrument d'une laïcisation de la société française, la loi du 9 décembre 1905, bien qu'elle n'emploie pas le mot, constitue le socle sur lequel s'est construite la laïcité de l'État.

Un texte imposé par les circonstances

Au départ, le choix de mettre un terme au système concordataire et à la reconnaissance qu'il accordait tant au culte catholique qu'à trois autres cultes, est dicté par les circonstances et, notamment, par le raidissement de l'Église catholique. Préparée par Combes*, adaptée par Briand, soutenue par Jaurès, la loi de 1905 est votée à une confortable majorité. Elle pose deux principes. D'une part, elle affirme la liberté de conscience et de culte. D'autre part – et c'est cette disposition qui sonne le glas du Concordat* – elle énonce que « la République ne reconnaît, ne salarie, ni ne subventionne aucun culte ». Désormais, il n'y a plus de culte reconnu, le budget des cultes disparaît, l'exercice de la religion cesse d'être un service public pour devenir une activité purement privée, soumise aux seules exigences du respect de l'ordre public. Les Églises conservent cependant la jouissance des bâtiments cultuels. Il leur est demandé de s'organiser en associations cultuelles afin de gérer leurs biens mobiliers. L'Église catholique s'est opposée vigoureusement à la constitution de ces associations, de même qu'aux inventaires organisés pour déterminer les biens dont elles devaient assurer la gestion.

Construction de la mosquée de Paris (1922-1926).

invention | le modèle français | au-delà des frontières

Une ignorance tempérée

La République ne reconnaît aucun culte, ni ceux qui sont concernés par le Concordat, ni d'autres, au développement plus récent. Cela n'a pas empêché le maintien ou l'établissement, en marge de la loi de 1905, de relations entre l'État et les Églises. Tout d'abord, le texte ne concerne pas les congrégations, qui restent soumises aux dispositions de la loi de 1901. Cet oubli est volontaire : l'État souhaite conserver la possibilité de les contrôler, voire de les interdire en cas d'infraction. Elles restent, dans l'esprit des républicains, le refuge du cléricalisme militant. Mais ce silence devait s'avérer dangereux. En effet, le régime de Vichy, tout en maintenant l'essentiel du dispositif de 1905, s'est attaché à vider la loi de 1901 de sa partie hostile aux congrégations. Ce retour en arrière n'a pas été désavoué à la Libération. En second lieu, l'interdiction de subventionner les cultes n'a pas empêché le législateur d'admettre un certain nombre d'aménagements.

Dès 1905, est autorisée la prise en charge publique des dépenses nécessaires à la création d'aumôneries dans certains établissements publics. En 1920, en signe de reconnaissance du sacrifice de nombreuses recrues musulmanes dans les tranchées de la Première Guerre mondiale, l'État et la ville de Paris ont subventionné la construction de la mosquée de Paris. En 1987, la loi sur le mécénat a permis aux contribuables de déduire de leurs impôts les dons en faveur des associations cultuelles. Plus largement, pour des motifs culturels, un certain nombre d'aides indirectes à des activités de nature religieuse sont admises. Plus étonnante est la collaboration qui, parfois, s'est instituée entre l'État et les diverses religions ou leurs représentants. Une loi de 1986 impose à France 2 de programmer « *des émissions à caractère religieux* ». Au sein du Comité national d'éthique, créé en 1983, un certain nombre de membres sont désignés en qualité de représentants des principales familles philosophiques et spirituelles.

Les aménagements de la loi de 1905

Afin d'en finir avec les troubles provoqués par les inventaires des lieux de culte, Clemenceau, devenu président du Conseil, prit l'initiative de faire voter la loi du 2 janvier 1907. Celle-ci laissa les églises « *à la disposition des fidèles et des ministres du culte pour la pratique de leur religion* ».

La séparation des Églises et de l'État est souvent considérée comme l'aboutissement logique de la laïcisation des institutions françaises et son pivot idéologique. Cela n'a pas empêché certains aménagements circonstanciels.

Les insuffisances territoriales du modèle

Pour des raisons historiques ou sociales, certains départements ou territoires français échappent encore à la législation laïque.

Le régime de l'Alsace et de la Moselle

Lors de l'annexion par l'Allemagne de l'Alsace et de la Moselle, en 1871, le régime des cultes établi par le Concordat* de 1801 est maintenu. En 1919, la Chambre « bleu horizon » décide de conserver le *statu quo*, « *jusqu'à ce qu'il ait été procédé à l'introduction des lois françaises* ». En dépit de la clarté des engagements pris par le Cartel des gauches, élu en 1924, et face à une résistance des populations encadrée par les divers clergés, le provisoire devient définitif. Le Conseil d'État, saisi pour avis en 1925, donne une légitimité juridique à ce choix politique. Dans ces trois départements, quatre cultes sont reconnus, les mêmes qu'en 1802, dont l'exercice a un statut public. Ils bénéficient, par ailleurs, des avantages fiscaux attribués aux associations cultuelles. Concrètement, les évêques de Strasbourg et de Metz sont nommés par le président de la République après concertation avec le Vatican ; une procédure voisine est appliquée aux responsables des autres Églises. L'investiture canonique leur est ensuite conférée par les autorités religieuses compétentes. Bien qu'ils n'aient pas la qualité de fonctionnaires, leur rémunération est directement

---

La gestion des cultes reconnus

Les établissements publics chargés de gérer les cultes en Alsace et en Moselle ont des noms différents selon les cultes. À côté des « fabriques » catholiques existent des « paroisses » et « consistoires » protestants ainsi que des « consistoires » israélites.

---

assurée par l'État. L'enseignement n'est pas, non plus, soumis au principe de laïcité. Par une ordonnance allemande de 1873, dont les dispositions ont été maintenues en 1918, un

enseignement religieux des quatre cultes reconnus, en vertu du Concordat de 1801, est prévu au niveau primaire et secondaire. Il s'agit d'une matière obligatoire susceptible de dispenses, sur demande des parents.Par ailleurs, pour des raisons historiques plus anciennes, survivent deux facultés de théologie, intégrées à l'Université française.

L'outre-mer

Ainsi que le déclarait Gambetta, « *l'anticléricalisme* n'est pas un article d'exportation* ». Cette affirmation explique le rôle joué par les missions religieuses au service de la politique coloniale. La situation de certains départements et territoires d'outre-mer le confirme. En Guyane, continue d'être appliquée une ordonnance de Charles X, du 27 août 1827, au terme de laquelle le culte catholique seul est reconnu. Son entretien est assuré sur fonds publics, prélevés, depuis la décentralisation, sur le budget du département. À Mayotte, territoire majoritairement musulman, le préfet nomme le mufti et le droit islamique dispose, dans le droit local, d'un statut quasi officiel. À Saint-Pierre-et-Miquelon, en Nouvelle-Calédonie et en Polynésie française continue de s'appliquer le décret Mandel du 16 janvier 1939, créant des conseils d'administration pour représenter les missions religieuses dans les actes de la vie civile et gérer leurs biens. En pratique, le Conseil général de Saint-Pierre-et-Miquelon subventionne le culte catholique, alors que les communes assurent l'entretien et le chauffage des églises. Dans les Territoires d'outre-mer, les pouvoirs publics sont autorisés à subventionner les églises et les presbytères.

> La situation qui prévaut, tant en Alsace et en Moselle que dans l'outre-mer, démontre que la laïcité n'est pas appliquée d'une manière totalement rigoureuse.

Les organisations laïques

Très tôt, les militants laïques ont éprouvé la nécessité de s'organiser. D'abord pour défendre leurs convictions, ensuite pour aider à leur mise en œuvre.

La franc-maçonnerie, la laïcité pour ambition

Héritière du déisme et de la libre-pensée, la franc-maçonnerie s'est, dès ses origines au début du XVIIIe siècle, affirmée hostile à toute référence à une religion révélée. Comme l'indiquent les *Constitutions* rédigées par Anderson, adoptées en 1723, les francs-maçons ne sont soumis qu' « *à cette religion sur laquelle tous les hommes sont d'accord, laissant à chacun ses propres opinions* ». Cette ambition, révolutionnaire pour l'époque, a été reprise par le Grand Orient de France, principale obédience maçonnique française, qui a affirmé en 1877 que ses membres adopteraient désormais le principe de la liberté absolue de conscience. La croyance en Dieu n'est pas interdite, elle relève de la seule appréciation individuelle, et exclut toute démarche de propagande. Ceci explique que la plupart des acteurs du combat laïque soient sortis de ses rangs ou l'aient rejointe.

Les deux grandes Ligues

Cent trente-cinq ans après que Jean Macé eut pris l'initiative de sa création, la Ligue de l'enseignement s'est imposée comme l'une des inspiratrices des combats laïques d'hier et comme l'actrice centrale de la formation à la citoyenneté contemporaine, centrée sur l'esprit critique et la liberté de conscience. Partenaire de l'école, notamment au travers de ses fédérations départementales, ses prises de position retiennent l'attention. Fondée par le sénateur Trarieux en 1898, en pleine affaire Dreyfus, la Ligue des droits de l'homme, quant à elle, a centré son action sur la défense de la liberté de conscience.

« Europe unie ?
Oui.
Europe vaticane ?
Non. »
Tract édité par le CAEDEL en 1959.

invention | le modèle français | au-delà des frontières

Le Comité national d'action laïque

Le rétablissement de la légalité républicaine, opéré à la fin de la Seconde Guerre mondiale, a laissé penser aux laïques que le temps était venu de poursuivre l'œuvre de la IIIe République. La rupture du « tripartisme », résultat de l'alliance PC-SFIO-MRP, suivie de la formation de la « Troisième Force » qui exclut PC et gaullistes, devait donner un coup d'arrêt à ces espoirs. L'offensive en faveur de l'octroi d'une aide à l'enseignement privé entraîne la création d'un Cartel d'action laïque, sur l'initiative de la Ligue de l'enseignement et du SNI (Syndicat national des instituteurs). Le nombre et la diversité de ses membres apparaît rapidement comme un facteur d'inefficacité. Aussi, ses principales composantes, la FEN (Fédération de l'Éducation nationale) et le SNI représentent le pôle syndical, la Ligue de l'enseignement, la Fédération des DDEN (Délégués départementaux de l'Éducation nationale) et la FCPE (Fédération des conseils de parents d'élèves des écoles publiques), ont décidé de créer le CNAL. À son actif, figure l'organisation d'un grande pétition laïque contre la loi Debré en 1960. Cette pétition devait recueillir près de 11 millions de signatures. L'échec, en 1984, du projet Savary pour la création d'un grand service public unifié, marque le début d'un relatif déclin de son action militante.

Un foisonnement associatif

À côté des organisations philosophiques et des associations pourvues d'une légitimité historique, toute une série d'autres organisations contribuent à dessiner les contours du militantisme laïque. L'Union rationaliste, fondée en 1930, poursuit autour des *Cahiers rationalistes* un travail intéressant de réflexion. La Libre-Pensée, dont les origines coïncident avec l'avènement de la IIe République, publie la revue *La Raison*. Créé en 1954, le Centre d'action européenne démocratique et laïque continue à se préoccuper des problèmes soulevés par la construction européenne et publie *Europe et Laïcité*.

Quelques slogans
« *Faisons le serment solennel : de manifester en toutes circonstances notre irréductible opposition à cette loi, [...] et d'obtenir que l'effort scolaire de la République soit uniquement réservé à l'École de la Nation...* »
Pétition laïque contre la loi Debré.

Les liens qui se sont noués entre revendication laïque et développement de la citoyenneté expliquent que la liberté d'association ait trouvé là un espace propice à son développement.

La question de l'universalité

Présentée parfois comme une « exception française », la laïcité comporte un message dont la portée dépasse largement les limites de son espace initial de développement.

Max Weber

Selon lui, l'homme doit remettre en cause toute dimension magique, non seulement dans le monde, mais aussi dans la religion. Pour définir cette démarche il utilise le mot de *Entsäuberung*, qui a été traduit en français par le concept de « désenchantement ».

L'exception laïque française

S'interroger sur l'universalité du principe de laïcité et sur sa capacité à s'étendre par-delà les frontières de la République française, conduit à s'interroger corrélativement sur l'importance des déterminismes qui ont conduit à son développement. Il s'agit, d'abord, d'une laïcité de combat. Elle constitue une réponse militante au raidissement idéologique qui marque les pontificats de Grégoire XVI et de Pie IX, et que relayera une partie de l'épiscopat français derrière la figure emblématique de Mgr Dupanloup. De cette origine, la laïcité française a retiré un caractère politiquement organisé et juridiquement construit, qui tend à en faire un modèle. Enfin, il s'agit d'une laïcité principalement articulée autour de la question scolaire. Cette singularité est-elle créatrice d'une exemplarité qui la rende exportable ? Les réponses apportées à cette difficile question ne sont pas toujours exemptes de subjectivité.

Le désenchantement du monde

À ceux qui doutent de la possibilité d'acclimater le modèle français en d'autres lieux, font écho ceux qui voient dans la laïcité le produit d'un lent processus sociologique de mise à distance du religieux. Max Weber* a été l'un des premiers à souligner que la construction progressive de l'État en espace de définition de l'intérêt général et du bien com-

Max Weber
(1864-1920).

invention | le modèle français | au-delà des frontières

mun dépendait des progrès de l'analyse rationnelle et de la régression des explications magiques ou religieuses. Pour lui, une telle évolution n'était pas nécessairement porteuse de progrès ou de liberté. Dans son sillage ou utilisant les mêmes mots, un certain nombre d'analyses soulignent que, sur une longue période, les habitudes de croyance et les pratiques religieuses se font plus rares, après avoir quitté le champ du cultuel pour intégrer celui du culturel. Le constat – d'une sécularisation* plus que d'une réelle laïcisation – ne suffit pas. En marge des religions établies, s'organisent de curieux bricolages religieux à usage personnel ou inscrits dans une perspective sectaire. Des crispations intégristes s'alimentent des incertitudes de l'intégration républicaine. À l'évidence, les réponses à construire impliquent davantage le réveil d'un véritable volontarisme politique que l'exposé de constats sociologiques. La laïcité n'est ni un état dérivant de la nature des choses qui rendrait caduque l' « autorité de l'éternel d'hier », ni le produit d'une histoire trop particulière pour parler clairement à une humanité diverse.

L'universalité malgré tout

Force est de constater qu'aujourd'hui comme hier, et en quelque partie du globe où l'on se trouve, l'essentiel des conflits qui se sont déroulés ont une origine religieuse, nationalitaire ou ethnique. La géopolitique de la haine épouse celle de ces vérités incontestables face auxquelles seules deux attitudes sont concevables : la soumission, ou le silence imposé à ceux qui ne les partagent pas. Hier opposant des États qui trouvaient dans la défense de ces vérités motif à dominer leurs voisins, ces divergences ont tendance à traverser le tissu social interne des États. La pluralité sociale, source de richesse, n'est viable qu'autant que ses composantes apprennent à cohabiter et à se respecter. Il faut que chacun convienne que l'acceptation dont il est l'objet n'a rien à voir avec la vieille logique de l'honneur, habituelle aux sociétés refermées sur une identité mythifiée, mais qu'elle relève de la logique de la dignité, propre aux sociétés démocratiques constituées d'hommes égaux en droit.

> En elle-même, et par-delà son caractère géographiquement situé qui résulte de son origine française, la laïcité constitue un fondement, de portée universelle, de la dignité humaine.

Géopolitique de la laïcité

Si l'on se réfère au modèle français, rares sont les États qui peuvent être qualifiés de laïques. L'analyse des textes et des proclamations officielles cache souvent mal des réalités évolutives.

La difficile recherche de critères

Mesurer le caractère laïque ou confessionnel d'un État est souvent difficile. Les situations concrètes sont changeantes et relatives ; ainsi, le laïcisme de la IIe République espagnole n'a pas résisté à l'offensive cléricale du franquisme. La tentation d'utiliser le modèle français comme critère d'appréciation de situations étrangères trouve rapidement ses limites. Chaque réalité nationale est singulière, et les mots utilisés, ici ou là, n'ont pas nécessairement la même signification ni la même portée. Le recours aux textes, notamment constitutionnels, ne permet pas non plus de dégager les cadres d'une analyse. Outre qu'ils peuvent évoluer, les ambitions qu'ils expriment doivent, en permanence être mesurées à l'aune des pratiques sociales. Ainsi, le caractère constitutionnel, déjà ancien, de la séparation des Églises et de l'État aux États-Unis s'accommode d'une société organisée sur un mode « communautariste » et profondément religieuse.

La revanche de Dieu

Albanie
Sous le régime communiste d'inspiration stalinienne dirigé entre 1945 et 1985 par Enver Hodja, l'Albanie s'est proclamée premier État athée du monde.

Quels que soient les critères choisis, peu d'États sont susceptibles d'être définis comme laïques. Cela se conçoit aisément. En effet, il existe un lien naturel entre les conditions de formation de l'État moderne et la laïcité. À compter du moment où l'État se sépare de la société civile, il doit corrélativement s'interdire d'en représenter une partie, aussi importante soit-elle. Une telle approche a coïncidé avec l'émergence du modèle politique de la démocratie libérale.

invention | le modèle français | au-delà des frontières

Un certain nombre d'États, qu'il s'agisse de dictatures d'inspiration fasciste ou communiste, ou de théocraties obscurantistes comme les monarchies du Golfe, n'ont jamais accédé à une telle modernité. Par ailleurs, l'échec des politiques de modernisation, conduites à marche forcée sur le modèle occidental et sans esprit démocratique, a provoqué un choc, amplifié en retour par les effets d'une mondialisation déstabilisante. La perte des anciens repères dans lesquels s'enracinait la logique du sens, a provoqué un vide que se sont empressées de combler des religions, parfois des sectes, qui avaient trouvé dans l'organisation de la résistance à la dictature une légitimité politique. La révolution iranienne, associée au reflux du nationalisme arabe, le régime des talibans en Afghanistan, de l'éveil politique d'un nationalisme hindouiste en Inde, en constituent des manifestations particulièrement inquiétantes.

L'échec des tentatives d'éradication du sentiment religieux

La pensée marxiste voit dans la religion « *l'opium du peuple* ». Prolongeant les solutions mises en place au lendemain de la révolution d'Octobre (1917) en URSS, un certain nombre de régimes politiques ont mis en œuvre un projet – moins homogène qu'il n'y paraît – d'éradication des religions ou, du moins, de mise au pas des Églises. Il a suffi que la contrainte du pouvoir se relâche et que soient abandonnés les projets d'unification sociale pour que le passé se réimpose, inaltéré. Les Églises, fortes de leur statut de refuge de l'opposition politique, ont cherché à obtenir une récompense pour leur engagement. Les revendications nationales, un temps réduites au silence, ont trouvé à se faire bruyamment entendre, alimentant la redoutable commodité de réactions d'appartenance. La laïcité, vécue comme pratique d'une tolérance mutuelle garantie par un État neutre, est apparue comme une idée neuve et comme une pratique à réinventer, alors que s'effondrait le mur de Berlin.

Nationalismes arabes

Vers la fin des années 1950, une partie du monde arabe a tenté, sous l'influence d'un courant nationaliste, de se libérer de l'influence religieuse. L'idéologie bassiste en Syrie et en Irak, le nassérisme en Égypte ou le courant du Néo-Destour avec Bourguiba en Tunisie, s'inscrivent dans cette logique.

Pratique sociale avant d'être idéologie ou mode d'organisation des relations entre l'État et les Églises, la laïcité a besoin de l'aide de la démocratie et des droits de l'homme pour s'épanouir.

Quelques exemples singuliers

S'il existe une « exception laïque française », un certain nombre d'autres États ont vu également passer, avec des bonheurs divers, « l'heure de la laïcité ».

Des expériences sans lendemain

Les influences mêlées du positivisme*, notamment au Chili ou au Brésil, et de la culture française, en Amérique centrale, ont déterminé, au début du XXe siècle, l'émergence d'aspirations laïques. Les circonstances souvent chaotiques de leur mise en œuvre, la fréquence des changements des régimes politiques et la fragilité de la culture démocratique, les ont rendues éphémères. De la même façon, si la Ire République portugaise, proclamée en 1910, décida d'instaurer le divorce et la séparation de l'Église et de l'État, ce fut pour peu de temps et de façon peu convaincante. Dès 1926, s'est mise en place une dictature, rapidement dirigée par Salazar en 1926. Cette dictature devait redonner à l'Église catholique toute son autorité sociale et politique.

La Turquie : l'héritage kémaliste

Fondateur de la République turque, Mustafa Kemal (1881-1938) va s'attacher, dès la proclamation de l'indépendance du nouvel État, à inscrire sa politique de modernisation au sein d'un projet animé par un volontarisme laïque. Entre 1922 et 1924, le sultanat et le califat sont successivement abolis et l'islam perd son statut de religion d'État. Dans le même temps, des mesures sont prises pour transformer les mentalités. L'obligation du mariage civil est introduite, et se met alors en place un enseignement laïque, inspiré du modèle français. Les hommes doivent cesser de porter le fez (calotte tronconique) et se raser. L'alphabet latin remplace l'alphabet arabe. La Constitution de 1924 proclame que « *l'État turc est républicain, nationaliste, populiste, étatiste, laïque et révolutionnaire* ». Si la formule a évolué dans les

---

Tchécoslovaquie

Sous l'influence des présidents Masaryk et Benes, ce pays adoptera, dès sa création en 1918, diverses mesures d'inspiration laïque. La République tchèque, aujourd'hui séparée de la Slovaquie, constitue encore, en Europe centrale, un espace de relative mise à distance des Églises.

invention | le modèle français | au-delà des frontières

Constitutions ultérieures, le caractère constitutionnellement laïque de la Turquie n'a jamais été remis en cause. Le volontarisme affiché, s'il a contribué à singulariser la Turquie de l'ensemble des pays musulmans, ne s'est pas révélé sans danger. L'autoritarisme en fut souvent le prix à payer. Le gardien le plus vigilant du patrimoine laïque kémaliste reste l'armée.

Mustafa Kemal.

Le Mexique

Même si le mot de laïcité est absent des textes, le Mexique peut, de 1917 à 1991, être classé parmi les États constitutionnellement laïques. Élaborée après une période de troubles, la Constitution mexicaine porte la marque de la lutte anticléricale* qui a précédé son adoption. L'Église catholique et les congrégations religieuses n'ont pas d'existence légale, la liberté de croyance et de culte est affirmée. Seul est admis un enseignement primaire et secondaire laïque.

L'Inde et le Japon : une laïcité de circonstance

En 1946, le Japon vaincu est contraint d'accepter les règles de la démocratie pluraliste. En 1947, au lendemain de sa difficile indépendance, l'Inde fait un choix identique. Dans l'un et l'autre cas, les choix opérés traduisent une orientation parfois qualifiée de laïque. Il s'agit, au Japon, d'anéantir la puissance impériale fondée sur la divinité du détenteur du trône ; en Inde, de réduire le pouvoir des brahmanes pour parvenir, malgré la survivance du système des castes, à la gestion démocratique d'une pluralité linguistique, culturelle et religieuse à l'échelle d'un véritable continent. Les ambitions de départ n'ont pas résisté au poids des habitudes. Le regain d'intérêt pour le shintoïsme et le développement de sectes d'inspiration bouddhiste (Sokka Gakkaï) au Japon, l'apparition d'un intégrisme hindouiste particulièrement violent en Inde, marquent un retour inquiétant du religieux.

> Le nombre des pays qui se réclament de la laïcité reste limité et la plupart des expériences apparaissent comme fragiles ou réversibles.

La diversité européenne

À l'inverse de ceux qui la considèrent comme liée à la tradition républicaine française, d'autres, comme Edgar Morin, voient dans la laïcité une réalité européenne.

Les raisons de la diversité

Un survol rapide de l'histoire de l'Europe montre le caractère fondamental que n'a cessé d'y occuper le phénomène religieux, tant dans sa dimension idéologique qu'institutionnelle. La plupart des ruptures qu'elle a vécues et qui l'ont structurée furent des ruptures religieuses. Tout d'abord, l'Europe est très tôt devenue le lieu de développement d'un pluralisme religieux sur la base duquel ont émergé des cultures nationales diverses et souvent polémiques. Cette diversité se fonde, pour l'essentiel, sur des lectures différentes d'un même corpus religieux chrétien (catholicisme, orthodoxie, cultes réformés). Par ailleurs, elle a dû tenir compte d'autres réalités religieuses comme le judaïsme et l'islam qui, bien que monothéistes, ont provoqué selon les époques des mouvements de rejet ou d'adaptation. La diversité tient aussi au rôle que certains attachements religieux ont joué dans la naissance de la conscience nationale. Dans deux pays au moins, l'Irlande et la Grèce, la religion, catholique dans un cas, orthodoxe dans l'autre, a joué un rôle fédérateur face à un adversaire aux prétentions hégémoniques. Enfin, la sécularisation* a connu des progrès inégaux selon les pays. Elle est plus intense aux Pays-Bas qu'en Grèce ou au Portugal. Enfin, le caractère inégalement anticlérical du processus de laïcisation a pu générer ici une laïcité de combat, là une neutralisation progressive de la puissance religieuse.

Grèce

Dans ce pays, le mariage civil et le mariage religieux sont dotés de la même valeur juridique. L'obligation de mention de la religion sur les documents d'identité est aujourd'hui discutée.

---

invention | le modèle français | au-delà des frontières

Une impossible typologie

Chaque situation nationale apparaît comme singulière. Certaines Constitutions prévoient une séparation entre les Églises et l'État et, cependant, accordent à une religion une place dominante, allant jusqu'à s'y référer pour fonder le contrat social. Ainsi en Irlande, si l'Église et l'État sont séparés, la Constitution de 1936 est établie « *Au nom de la Très Sainte-Trinité* ». D'autres pays pratiquent la séparation mais ont continué de voir les relations avec l'Église catholique régie par un Concordat*. Tel est le cas au Portugal. Plus généralement, si les pays de culture catholique ont inscrit leur marche – plus ou moins avancée – vers la laïcité dans une logique anticléricale, les pays de culture protestante se sont plus volontiers engagés dans une démarche de sécularisation*. Dans le premier cas, il s'agit de lutter contre une puissance religieuse concurrente de l'État et organisée selon un schéma international. Dans le second, et en présence d'Églises nationales, le processus engagé s'est traduit par un amoindrissement progressif du rôle de l'Église. Certaines situations intermédiaires existent, comme en Belgique, où la laïcité est considérée, non comme le fondement de l'État, mais comme l'une des composantes idéologiques de la société.

Une réalité sociale en cours d'harmonisation

Tous les États membres de l'Union européenne et, au-delà, du Conseil de l'Europe, reconnaissent la liberté de conscience* et de culte. Par ailleurs, les pratiques religieuses traditionnelles connaissent une évidente érosion. L'Irlande a introduit, fin 1995, le divorce. En Suède, depuis le 1er janvier 2000, l'Église luthérienne a perdu son statut de religion d'État. Cela n'empêche pas les manifestations de militantisme intégriste ou obscurantiste, comme ce fut le cas en France à l'occasion du débat parlementaire relatif au PaCS (Pacte civil de solidarité). L'Ordre moral* n'est pas complètement éteint, et certains pays ont d'importants progrès à accomplir pour se rapprocher d'une honorable moyenne européenne.

Le rôle de la religion

Du grand schisme d'Orient de 1054 à la Réforme, en passant par les sept siècles de présence musulmane en Espagne, la discussion sur le contenu des croyances s'est en permanence accompagnée de la prétention de chacune à s'imposer au détriment des autres.

En dépit d'une évidente diversité des solutions mises en œuvre dans les différents États qui la constituent, l'Europe a accompli des progrès en vue d'une laïcisation, tant des institutions publiques que des sociétés.

Les défis européens

Au lendemain de la Deuxième Guerre mondiale, l'Europe a fait le choix de la paix et de l'unité. Un processus d'inspiration fédéraliste s'est mis en marche dès 1951. Un tel choix peut affecter le modèle laïque français.

Liberté religieuse et reconnaissance des minorités

Créé en 1949, le Conseil de l'Europe s'est rapidement affirmé comme le conservatoire de la conscience démocratique européenne et a fait de la défense des droits de l'homme l'axe central de son action. La *Convention européenne de sauvegarde des droits de l'homme et des libertés fondamentales*, signée en 1950, et le mécanisme juridictionnel de sanction de son irrespect par les États, ont introduit une véritable révolution dans le domaine du droit international. Parmi les libertés proclamées et garanties, figure la liberté de conviction et de religion, complétée par la liberté d'en changer. Disposition heureuse, dont la lecture par la Cour de justice des droits de l'homme peut cependant faire craindre certaines dérives. Dans un arrêt rendu en 1994, la Cour a considéré qu'une limitation de la liberté d'expression était acceptable si son exercice se traduisait par une critique « exagérée » à l'égard de croyances religieuses. Il y a là un glissement dangereux en direction de la reconnaissance du délit de blasphème. Au début des années 1990 et à la lumière des tensions nationalistes qui traversaient l'Europe centrale, le Conseil de l'Europe s'est attaché à définir, au travers de deux conventions, les conditions d'une protection des minorités nationales, puis des langues régionales minoritaires. Derrière la générosité des intentions, se profile une vision radicalement opposée à la conception laïque et républicaine de l'État français. Ainsi que l'a précisé

L'élargissement à l'Est

Les pays d'Europe centrale et orientale connaissent un retour inquiétant des réflexes ethniques, à fondement culturel, religieux, ou simplement historique. L'élargissement de l'Union vers ces pays est de nature à renforcer l'importance des débats identitaires.

invention | le modèle français | au-delà des frontières

le Conseil constitutionnel français, une telle conception s'oppose « *à ce que soient reconnus des droits collectifs à quelque groupe que ce soit, défini par sa communauté d'origine, de culture, de langue et de croyance* ».

Les grandes étapes

1951 : Traité de Paris créant la CECA.
1957 : Traité de Rome créant la CEE et Euratom.
1986 : Acte unique.
1992 : Traité de Maastricht.
1997 : Traité d'Amsterdam.
2000 : Traité de Nice.

Des Communautés à l'Union européenne

L'Europe communautaire est le produit d'une entreprise particulièrement ambitieuse qui repose sur des abandons de souveraineté consentis par les États qui la constituent ou viendraient à la rejoindre. Bien que ses pères fondateurs fussent tous de culture démocrate-chrétienne, la construction européenne apparaissait comme neutre en terme de laïcité. Il n'était alors question que de libéralisation des échanges économiques. Le passage de la Communauté à l'Union européenne, avec le traité de Maastricht, a partiellement modifié les termes du débat en imposant la recherche d'une légitimation politique. Elle a naturellement été trouvée, sans autres précisions, dans les principes de liberté, de démocratie, de respect des droits de l'homme et d'État de droit. Dans le cadre de l'approfondissement de ce socle initial, lors de la négociation du traité d'Amsterdam, le Vatican a sollicité la reconnaissance de la place spécifique des Églises dans l'identité des États membres et dans l'héritage commun des peuples européens. Si cette revendication clairement cléricale a finalement été rejetée, elle est réapparue, à l'occasion de l'élaboration de la charte des droits fondamentaux de l'Union européenne, proclamée à Nice, au mois de décembre 2000. Dans une rédaction intercalaire, le préambule faisait référence à l'« *héritage culturel, humaniste et religieux* » de l'Union. La formule finalement retenue de « *patrimoine spirituel et moral* » n'est pas totalement rassurante, d'autant qu'elle ne figure que dans la version française du texte.

Si la coopération entre États de l'Ancien Continent est riche en promesses de pacification, elle n'exclut pas la vigilance ni la réflexion sur les conditions d'un vouloir-vivre ensemble acceptable.

La pluralité culturelle : le réveil des identités

La plupart des pays contemporains sont devenus multiculturels. À côté d'un modèle d'intégration individuelle, se développent des revendications de reconnaissance communautaire.

L'émergence de la question identitaire

Les sociétés modernes ont longtemps conservé la marque d'une vieille connivence idéologique et d'une vision commune d'un patrimoine de valeurs universelles. Celle-ci a facilité l'organisation d'appartenances identitaires tolérantes au sein d'une sphère privée rendue autonome. Ceci permettait aux hommes d'être égaux tout en ayant, par ailleurs, la faculté de se vivre différents. Ce fut, notamment en France, l'âge d'or de l'intégration individuelle, opérée ou recherchée indépendamment des origines et des singularités d'appartenance. La modification de l'ordre du monde, dépouillé de la simplicité bipolaire que lui conférait la guerre froide, amplifiée par la mondialisation marchande, a bousculé les certitudes. Des troubles identitaires collectifs ont surgi, ici ou là, sous la forme de tensions nationalistes, de fondamentalismes religieux ou de mouvements de reconnaissance culturelle, et ont été vécus comme autant d'interpellations indirectes adressées au modèle républicain d'intégration. Désormais, des individus revendiquent le fait d'être reconnus pour ce qu'ils représentent, ne se satisfaisant plus de la seule égalité de droits.

La fausse commodité des politiques de reconnaissance

Tout un courant de pensée, qualifié de « communautariste », a tenté d'apporter une réponse à cette aspiration identitaire. Il a d'abord pris la forme d'une critique de l'idée d'universel, notamment appliquée au principe d'égalité en droit des individus. Un tel

Le multiculturalisme

Le choix d'une reconnaissance de droits communautaires s'inspire d'une logique voisine de celle qui, au XVIIᵉ siècle, fondait l'idée de tolérance religieuse. Comme elle, elle tend à développer une logique d'assignation de chacun à son appartenance.

invention | le modèle français | au-delà des frontières

universalisme ne serait pas neutre, mais porteur d'une idéologie dominatrice, celle de la culture occidentale. Par ailleurs, la nécessité de reconnaître à chacun la dignité qu'il est en droit de revendiquer exige qu'on le considère au travers de ce qu'il donne à voir de lui-même, c'est-à-dire de la construction identitaire qui résulte de son appartenance. Seule la reconnaissance officielle par l'État des communautés culturelles, religieuses ou autres serait de nature à répondre à une telle demande. Si le constat qui fonde une approche multiculturelle est évident – les sociétés modernes sont devenues celles de l'affirmation bruyante et féconde d'une diversité culturelle – la solution proposée est contestable. La reconnaissance de droits particuliers au profit des membres de telle ou telle communauté risque de les enfermer dans leur particularisme, de les assigner à un groupe aux dépens de leur liberté individuelle. Les sociétés modernes sont composées de sujets de droit et non de groupes juxtaposés. Tout individu doit conserver la possibilité permanente de re-élaborer ses appartenances. Reconnaître des communautés, c'est se condamner à vivre une fragmentation sociale qui porte en germe l'affaiblissement de l'universalité républicaine.

Les théoriciens

Le multiculturalisme et la théorie de la « reconnaissance » ont, dans un premier temps, été développés par tout un courant de pensée nord-américain dont les représentants principaux sont Walzer, Taylor et Sander.

Le choix de la laïcité

Que des identités différentes coexistent est une évidence qu'il serait vain de contester. Permettre à ces identités de s'exprimer au travers de droits individuels à usage collectif, telles les libertés d'association, de réunion ou de culte, la conception laïque de la République l'admet sans difficulté. Reste, finalement, la solution d'un retour à l'origine de la démarche laïque, fondée sur l'éducation et, donc, l'apprentissage de la différence et de l'altérité. La seule reconnaissance qui garantisse une identité n'est pas celle de l'État, trompeuse pour ceux qui en bénéficierait et mortifère pour l'État, mais la reconnaissance, par chaque homme, de l'irréductible singularité de ses semblables.

Il ne s'agit pas de taire les identités, mais de les prendre pour ce qu'elles sont, de merveilleuses et changeantes manifestations d'une permanente fidélité à soi-même.

L'apparition de nouveaux cultes

En 1905, lorsqu'intervint la séparation des Églises et de l'État, l'évocation des quatre cultes reconnus permettait d'avoir une image à peu près complète des manifestations de la croyance religieuse. Il n'en va plus de même aujourd'hui.

Les aides publiques

Lorsqu'ils revendiquent la création de lieux de culte, les musulmans peuvent se prévaloir de la mansuétude des pouvoirs publics à l'égard des demandes de financement émanant des autres religions, déjà substantiellement dotées.

L'évolution du paysage religieux

En même temps que progressaient le particularisme religieux et les manifestations d'indifférence à l'égard de la croyance, sont apparus, inversement, depuis le début des années 1970, des explosions d'intégrisme religieux, caractéristiques, en certains cas, d'une recherche désespérée et souvent manipulée, de repères. Toutes les religions, à des degrés divers et avec des succès contrastés, sont concernées par cette dérive fondamentaliste. Un autre phénomène mérite attention. De nouveaux cultes, pour certains anciens mais d'implantation récente en France, se développent. Musulmans principalement et bouddhistes en deuxième lieu, ces cultes sont confrontés à un univers social dominé par des symboles et une culture encore marqués par ses fondements chrétiens. Leurs pratiquants peuvent avoir le sentiment d'arriver trop tard dans un État qui, en établissant la séparation a, sinon figé le paysage religieux, du moins laissé aux anciens cultes le bénéfice – inégalement réparti – de la reconnaissance qu'il leur avait, un temps, consenti.

Rencontre officielle du dalai lama et de Jacques Chirac en 1993. Le bouddhisme est l'une des religions dont le développement récent est le plus significatif.

Admettre sans reconnaître

La liberté des cultes, conséquence de la séparation, a laissé à l'État un rôle de police. L'exercice de cette fonction a imposé l'identification,

invention | le modèle français | au-delà des frontières

pour chacune des religions, d'un interlocuteur susceptible de discuter avec l'État. À cet égard, le législateur de 1905 a largement bénéficié du travail de clarification entrepris par Bonaparte qui avait fait obligation d'imposition à chaque culte. À partir de 1905, les cultes reconnus par le Concordat sont devenus des cultes installés au sein de structures associatives spécifiques. Pour les nouveaux cultes, la question est à reprendre sur des bases totalement inédites d'autant que certains d'entre eux, l'islam en particulier, étaient jusqu'à présent rebelles à toute organisation représentative. Une telle réticence était, pour une part, d'essence doctrinale, et d'autre part, stratégique ; la diversité des financements étrangers avait tendance à générer une atomisation de la communauté musulmane. Depuis le mois de décembre 1999, des progrès sont à noter, en direction tant de la définition d'une représentation que d'une reconnaissance, par les musulmans, des principes d'organisation laïque de la République.

Les cultes reconnus

Si le Concordat*, conclu par Bonaparte avec le Vatican en 1801, concernait le seul culte catholique, les articles organiques votés en 1802 vont servir à réglementer les cultes non-catholiques et assurer leur reconnaissance. Il s'agit de deux cultes protestants (calviniste et luthérien) et de la religion juive.

Égalité de droit, mais non de fait

Le second problème rencontré concerne l'attribution des lieux de culte. Deux arguments sont principalement avancés à l'appui de cette revendication. Les anciennes religions reconnues, et principalement la religion catholique, peuvent mettre à la disposition de leurs fidèles des lieux de culte qui sont autant de marques de leur influence ancienne. L'affirmation d'une égalité entre les croyants des différentes religions aurait toutes les chances de rester vaine en l'absence de moyens égaux d'exercer leurs cultes respectifs. En second lieu, la crainte est souvent exprimée de voir la neutralité de la République relayée par des financements étrangers qui pourraient être tentés d'imposer, avec l'argent, une certaine vision de la religion et de sa pratique. L'ombre du fondamentalisme n'est pas loin. Si la solution juridique à apporter au problème est loin d'être simple, certains efforts d'imagination ont été faits. Le plus souvent, c'est derrière le paravent culturel que se sont abritées, avec succès, des revendications financières cultuelles.

Confrontées à la diversification du paysage religieux français, les autorités publiques ont dû inventer des solutions afin de permettre aux fidèles des nouveaux cultes de vivre la liberté qui leur était offerte comme une inégalité.

L'affaire du foulard islamique

Au mois d'octobre 1989, dans un collège de Creil, des professeurs refusent d'admettre dans leur classe, au nom du principe de laïcité, des élèves qui arborent un signe d'appartenance religieuse, en l'occurrence, un foulard islamique.

Les termes du débat

Ce n'est pas la première fois que l'école publique se trouve confrontée, ponctuellement, à des phénomènes de manifestation d'appartenance religieuse ou de prosélytisme*. Mais le contexte politique de l'heure, les débats engagés par certains autour d'une redéfinition de la laïcité, et par d'autres sur la place de l'islam dans la République et par-delà, sur l'immigration en France, donnent au problème une dimension immédiatement polémique. Les enseignants et les parents des élèves ont immédiatement eu chacun leurs défenseurs. Les seconds ont notamment obtenu le soutien, naturel, de toutes les communautés religieuses et celui, plus construit, de certaines organisations de défense des droits de l'homme. À l'inverse, dans un article publié dans *Le Nouvel Observateur* au mois de novembre 1989, un certain nombre d'intellectuels dénoncent une « *Munich de l'école républicaine* », référence à la lâche capitulation des démocraties occidentales devant Hitler en 1938, soulignant que « *le droit à la différence n'est une liberté que s'il est assorti du droit d'être différent dans sa différence* ». D'un côté, ceux qui pensent que la capacité d'intégration de l'école conduit naturellement les jeunes filles à prendre conscience des valeurs véhiculées par l'attribut vestimentaire qu'on leur demande de porter. De l'autre, ceux qui souhaitent, dans une fidélité réaffirmée

L'affaire du foulard islamique qui a défrayé la chronique en 1989. Ernest Chenières, proviseur du collège de Creil, et Fatima, l'une des deux élèves ayant porté le foulard.

invention | le modèle français | au-delà des frontières

aux enseignements de Condorcet et de Ferry, « sanctuariser » l'école, considérant qu'une telle attitude était seule de nature à garantir l'exercice de sa mission.

La sollicitation du Conseil d'État

Le ministre de l'Éducation nationale en fonction en 1989, Lionel Jospin, a décidé de solliciter l'avis du Conseil d'État afin d'éclairer juridiquement les décisions que devraient prendre les rectorats, les inspections académiques ou les chefs d'établissement. Dans son avis, rendu le 27 septembre 1989, le Conseil d'État rappelle d'abord que le principe de laïcité et de neutralité des services publics impose que « *l'enseignement soit dispensé dans le respect, d'une part, de cette neutralité par les programmes et les enseignants et, d'autre part, de la liberté de conscience* des élèves* ». Les conditions de mise en compatibilité de ces deux principes sont ensuite définies. Le port de signes extérieurs d'appartenance religieuse ne peut être considéré comme violant le principe de laïcité que s'il présente un caractère ostentatoire ou s'inscrit dans une démarche de prosélytisme ; et s'y est associée une revendication concernant le respect des programmes ou la participation à certains enseignements. Tout est finalement affaire de cas d'espèce, ainsi que l'a montré le contentieux qui devait se développer sur la question à partir de 1992.

Une appréciation contrastée

Si les passions initiales se sont atténuées, le débat n'est pas clos. Les décisions d'annuler des sanctions sont présentées par les propagandistes du port du foulard islamique comme autant de victoires. Cependant, le renvoi de la solution du problème à l'appréciation finale des chefs d'établissement peut sembler les charger d'une responsabilité qui est d'abord celle des autorités de la République. L'élaboration, en 1994, d'une circulaire ministérielle précisant les principes d'une doctrine, de même que la définition, par le Conseil d'État, d'une présomption de régularité de l'interdiction du foulard islamique lors du déroulement de certaines activités d'enseignement, ont constitué un début de clarification.

Les autorisations d'absence pour motif religieux

Le Conseil d'État ne les considère que si elles ne nuisent pas au déroulement normal des études et au respect de l'ordre public dans les établissements scolaires.

L'affaire du foulard islamique a été l'occasion d'un affrontement entre deux approches différentes de la laïcité scolaire.

Le phénomène sectaire

Régulièrement inscrites à la rubrique des faits divers, les sectes font désormais partie du paysage social. Prétendant satisfaire une soif mal étanchée de recherche de sens, elle bousculent certaines des certitudes inscrites dans la loi de 1905.

Une identification difficile

La difficulté principale que pose l'identification du phénomène sectaire réside dans les dispositions combinées des articles 1 et 2 de la loi de 1905. Dès lors que la République ne reconnaît aucun culte tout en garantissant une liberté absolue de croyance, il lui est impossible de définir les critères à partir desquels identifier une secte, sous peine d'être accusée de discrimination ou de complaisance. Toute autre attitude conduirait, par différence, à définir la religion, et transformerait l'État en arbitre des convenances religieuses. Les sectes le savent. Elle usent avec malignité de cette apparente infirmité de la République. Elles ont pris l'habitude de s'affubler du qualificatif générique de « nouveaux cultes », et de présenter la légitime vigilance exercée à l'endroit de leurs pratiques comme une manifestation d'intolérance ou de persécution.

La République à la recherche d'une stratégie

Confrontés aux infractions que les sectes commettent et aux manipulations mentales qu'elles exercent à l'évidence sur leurs adeptes, les pouvoirs publics ont un devoir d'intervention. Sur le choix de la méthode, les opinions divergent. Pour certains, l'État laïque n'a pas à établir de distinction entre sectes et religions. Tout au plus peut-il choisir de définir des critères de représentativité pour déterminer, au sein des

Témoins de Jehovah

Le Conseil d'État a reconnu, au mois de juin 2000, la qualité d'association cultuelle à une association locale des Témoins de Jehovah, ce qui lui donne la possibilité de recevoir des dons et des legs.

invention | le modèle français | au-delà des frontières

mouvements à prétention spirituelle, ceux qui sont susceptibles d'être identifiés comme des cultes au sens de la loi. Pour d'autres, au contraire, le refus de toute définition du phénomène sectaire ne peut que favoriser son développement, et fragiliser la répression de ses conséquences. Prendre les sectes pour ce qu'elle disent d'elles-mêmes c'est, le plus souvent, se condamner à leur offrir la garantie de la liberté d'opinion. Pour éviter toute difficulté, il importe d'écarter, de l'analyse que l'on peut en faire, toute référence religieuse, pour s'en tenir à l'évocation de leurs pratiques. On se rend compte, alors, qu'il ne s'agit finalement que d'entreprises criminelles à « paravent » religieux. Restait à protéger les victimes des sectes. C'est ce à quoi a tenté de répondre le législateur en envisageant l'instauration d'un délit de manipulation mentale.

Position de l'Église catholique

Elle voit dans les sectes une des conséquences du relativisme et de la « *dégradation de la laïcité en neutralité* ».

Des sectes maîtresses de leur stratégie

Lorsque la vérité des comportements révélés interdit de jouer de la mauvaise conscience, les sectes savent particulièrement bien utiliser les ressources du droit. Bien que la loi de 1905 impose à l'État un devoir d'ignorance à l'égard des Églises, l'exercice des cultes dispose d'un encadrement juridique, fait d'un certain nombre d'avantages, notamment ceux que l'on reconnaît aux associations cultuelles. Les sectes ont senti tout le bénéfice qu'elle pourraient tirer de la sollicitation d'un tel statut : bénéfice financier assurément, mais surtout, brevet d'honorabilité. L'administration, sous le contrôle du juge administratif, a tenté de définir des critères autorisant l'attribution d'un tel statut. En sont exclues toutes les associations dont l'activité paraît de nature à porter atteinte à l'ordre public. Par ailleurs, les sectes ont pris l'habitude d'en appeler de l'attitude des États à leur égard, devant la Cour européenne des droits de l'homme. Force est de constater que leurs revendications sont appréciées avec bienveillance.

Entreprise d'anéantissement de l'esprit critique, les sectes se sont réapproprié la vieille logique de l'intolérance pour répondre à des soifs mal étanchées de recherche de sens, en abusant de la faiblesse des personnes.

La laïcité, pour quoi faire ?

Conquérante dans le dernier tiers du XIXᵉ siècle, la laïcité, pour certains, appartiendrait désormais à l'Histoire. Il suffit de garder les yeux ouverts sur le monde qui nous entoure pour se convaincre de son actualité.

Une vocation pacificatrice incontestable

Au début des années 1990, à la suite de l'effondrement du modèle soviétique, certains ont cru pouvoir affirmer que le monde était désormais entré dans l'éternité radieuse d'une fin de l'Histoire dont la mondialisation constituait le prolongement économique nécessaire. Monde qui disposait, avec la démocratie libérale, d'un modèle politique définitif. Le principe de réalité n'a pas mis longtemps à démentir ces douces certitudes. Le droit des peuples à disposer d'eux-mêmes, sur lequel s'était appuyé la décolonisation et, plus tard, la déconstruction des dernières logiques impériales, s'est mué en nationalisme agressif. En quelques années, l'unité construite de la Yougoslavie a volé en éclats sous les coups de boutoir des nationalismes serbes, croates puis albanophones, appuyés sur la valorisation agressive d'appartenances culturelles ou religieuses. L'Europe occidentale, elle-même, n'est pas épargnée. Des logiques séparatistes s'expriment, ici ou là, dans des discours qui valorisent l'égoïsme provincial au détriment des solidarités étatiques. Des monarchies du Golfe l'Afghanistan, en passant par l'Iran, l'Islam a adopté une posture anti-moderniste. N'a-t-on pas vu, signe d'un retour des vieilles intolérances, des croyants ou leurs représentants, tenter, par la violence,

Salman Rushdie

En 1989, cet écrivain britannique, musulman d'origine indienne, était frappé d'une fatwa de mort par l'iman Khomeiny, sous prétexte que son ouvrage *Les Versets sataniques* aurait eu un caractère blasphématoire.

invention | le modèle français | au-delà des frontières

de faire interdire un film ou vouer à la mort l'auteur d'une œuvre considérée comme blasphématoire ? Purification ethnique en Bosnie, revendication d'une « ivoirité » en Côte-d'Ivoire, les phéno-

mènes de repli identitaire travaillent le peuple des États que certains voudraient réduire à être le socle souverain de leur singularité collective. Parler de liberté ne suffit plus. Plus les sociétés deviennent plurielles, plus l'exigence pacificatrice incluse dans l'idéal laïque s'impose. La gestion politique de l'altérité impose le développement d'une culture de l'indifférence philosophique appuyée sur un devoir minimal de ressemblance juridique.

La laïcité et la question du sens

Au mois d'octobre 2000, un candidat démocrate à la vice-présidence des États-Unis affirmait : « *Il doit y avoir une place pour la foi dans la vie publique américaine* ». Façon laconique de dire que la raison n'avait pas le monopole de l'explication. Dans un registre voisin, les remarques fusent sur l'urgence de redonner à l'homme des raisons d'espérer et des motifs d'enthousiasme. L'idéologie humanitaire s'est en partie construite sur une mauvaise conscience de compensation. Les Églises ont également compris le parti qu'elles pouvaient tirer d'une telle dialectique du savoir et de la croyance. Elles y ont puisé les raisons d'adhérer à la laïcité, circonscrite à la liberté religieuse. Il est temps de dire que la laïcité ne peut être cantonnée à un mode d'organisation sociale. Elle est porteuse d'un idéal, celui de l'individu-citoyen qui sait qu'il n'y a de vouloir-vivre collectif que dans la confrontation librement débattue de convictions individuelles. Celui, également, de la durée assumée au travers de l'affirmation d'une aptitude permanente à tirer des leçons de l'Histoire les éléments de construction d'un présent acceptable et d'un futur qui conserve sa place au rêve.

> L'idéal laïque ne se satisfait pas d'une attitude de simple contemplation des victoires anciennes ou de dénonciation incantatoire des atteintes qui lui sont portées. Il est, d'abord, un humanisme en acte.

Un contenu discuté

Après l'échec, en 1984, d'un projet
de constitution d'un service public unifié
et laïque de l'Éducation nationale, un débat
s'est ouvert sur la nécessité de rénover
le concept de laïcité.

Le contexte du débat

Le débat qui s'est engagé sur le contenu de la laïcité dispose de racines anciennes. C'est celui qui opposait déjà, à mots couverts, Jules Ferry* et Ferdinand Buisson*. Alors que Ferry privilégiait la neutralité de l'École, Buisson, conscient de la dimension politique du combat engagé, revendiquait un enseignement porteur des valeurs républicaines et d'une morale laïque. Les tenants d'un nouveau pacte laïque, soutenus par les représentants des différentes Églises, partent d'un constat et suggèrent un choix. Les sociétés modernes sont plurielles. Par ailleurs, la rationalité à fondement scientifique n'étanche pas totalement la quête du sens. Dès lors, il convient de laisser librement s'exprimer les diverses convictions, notamment religieuses, d'autant que les Églises auraient renoncé à toute revendication cléricale. Le choix qui découle d'une telle appréciation tend à privilégier la liberté religieuse sur l'exigence de séparation.

Le pacte laïque

Dorénavant, l'État ne devrait plus nécessairement s'interdire de reconnaître les religions, et plus largement, les diverses identités qui le traversent. Il doit même envisager les conditions d'un dialogue avec elles. Il faudrait également accepter de débattre de l'universalisme égalitaire hérité de la Révolution française en le prenant pour ce qu'il est, c'est-à-dire une construction située dans le temps et dans l'espace qui cache mal sa prétention à la domination

Une avalanche de qualificatifs

« Laïcité plurielle »,
« nouvelle laïcité »,
« laïcité ouverte »,
« nouveau pacte laïque » :
cette diversité terminologique cache mal certaines des ambiguïtés du projet. À côté de ceux qui, sincèrement, souhaitaient redonner sa pleine efficacité à une vieille idée neuve, d'autres pensaient venu le temps de reconsidérer ses fondements.

invention | le modèle français | au-delà des frontières

impérialiste. Même des notions aussi évidentes que l'unité et l'indivisibilité de la République et de son droit méritent discussion. Pacte changeant entre espaces d'appartenance rendus à leur travail de conviction, la laïcité devrait quitter l'univers institutionnel pour intégrer celui du contrat. Toutes les tentatives de « rénovation » n'ont pas poussé aussi loin le souci de légitimation publique des liens d'appartenance. Pour certains, il s'agissait simplement d'y voir clair après le douloureux réveil de 1984.

Ligue de l'enseignement

C'est lors de son congrès de Lille, en 1986, que la principale organisation laïque française a décidé d'engager le débat sur une « nouvelle laïcité ».

Les ambiguïtés et les dangers de la démarche

La laïcité plurielle se refuse, au nom de la liberté, à distinguer entre traditions culturelles et doctrines religieuses, qu'elle place sur un pied de stricte égalité. Or, par fidélité à l'idéal critique de la laïcité, il est nécessaire d'aller y voir de plus près. Il n'est pas sûr que l'on doive faire silence sur ce que symbolise le port du voile islamique pour des femmes du Maghreb. Y voir simplement une affirmation d'identité c'est se contraindre à abdiquer devant le réel, fut-il teinté d'obscurantisme, et priver la laïcité de son exemplarité libératrice. La revendication de la liberté religieuse n'a pas le même sens selon qu'elle est exprimée par des Églises ou conçue comme l'une des conditions de la laïcité. Ce que cherchent les Églises, appuyées sur la légitimation que pourrait leur donner l'engagement d'un débat avec les autorités de l'État, c'est la reconquête d'un espace de conviction. Elles pourraient ainsi démontrer qu'elle disposent encore, en tant que groupe organisé, d'une capacité à définir le contenu du bien commun. La sphère privée où les avait cantonnées la séparation de 1905 deviendrait la base arrière d'une recolonisation de l'espace public. Une recolonisation tolérante certes, inscrite dans un pluralisme religieux assumé, mais potentiellement destructrice du seul vrai pacte laïque, le pacte républicain conclu entre citoyens égaux.

> Les mots valent autant par ce qu'ils désignent que par ce qu'ils laissent entendre. À cet égard, la tentative de qualifier la laïcité est parfois apparue comme une entreprise de remise en cause de ses fondements.

Les chantiers à ouvrir

Si la question scolaire a longtemps constitué le noyau dur autour duquel s'est développé le combat laïque, l'émergence de nouveaux cléricalismes, produits de la modernité, imposent l'ouverture de nouveaux chantiers.

Décentralisation

Les discussions engagées sur l'évolution du statut de la Corse, qu'elles portent sur l'enseignement obligatoire de la langue corse ou la possibilité d'adaptation de certaines dispositions législatives, sont de nature à remettre en cause l'unité d'application du droit français.

Rien n'est acquis

En Arkansas, aux États-Unis, des églises protestantes ont tenté d'empêcher l'enseignement des conceptions darwiniennes. L'Église catholique continue de s'opposer à l'avortement et à la contraception. En Afghanistan, les femmes ne peuvent accéder aux soins, alors qu'en Afrique continuent d'être pratiquées des mutilations sexuelles (excision, par exemple).

Les nouveaux habits du cléricalisme

Aux vieilles certitudes à fondement théologique, s'en sont ajoutées d'autres. L'adhésion que ces dernières sollicitent est celle que l'on doit à la connaissance et à l'expertise. Leur développement épouse celui des sciences sociales. Les nouveaux penseurs sont sociologues ou économistes. L'économie a ses dogmes*, ses clercs qui en explicitent les mystères, ses doctrinaires qui en définissent les règles ; elle a ses temples, ses symboles et ses formules rituelles. D'instrument d'analyse du réel économique, elle est devenue prédictive, limitant par là même la part qui revient au politique dans le choix entre les avenirs souhaités. C'est à des comités d'experts sans réelle responsabilité ni légitimité que se trouve le plus souvent dévolue la décision politique. Les conséquences humaines et sociales des solutions mises en œuvre au nom d'une stricte orthodoxie libérale n'ont que rarement provoqué des examens de conscience. Si le réel résiste, c'est qu'il se trompe. Cette crise du volontarisme qui tend à réduire l'action politique à la gestion des informations délivrées par les indicateurs économiques, provoque en retour des stratégies d'adaptation au système de citoyens devenus, principalement, consommateurs ou producteurs. Ce néo-cléricalisme conduit à introduire une division au cœur même de l'individualité. L'homme tend à ne plus exister que pour ce qu'il représente à un moment déterminé. Une telle dérive suggère l'urgence d'une interrogation laïque sur les certitudes qui caractérisent le discours économique.

invention | le modèle français | au-delà des frontières

La communication

L'école n'est plus le seul lieu d'apprentissage, puisqu'à ses côtés s'est progressivement développée une école parallèle, celle des médias. L'inflation informative qui caractérise la société moderne de la communication suscite réflexion. Les Églises l'ont compris, qui ont

École clandestine pour adultes en Afghanistan gérée par une organisation féminine anti-taliban, la Rawa, en 1998.

investi le monde de la télévision. Les « télévangélistes » américains ont poussé cette conquête jusqu'à la caricature. Plus largement, sous l'influence conjointe de la puissance économique et de l'image, la logique du marché l'emporte sur la logique informative. Un phénomène inquiétant de réduction du pluralisme de l'information se cache derrière les apparences d'un accroissement du message informatif. Il convient que se créent les conditions d'une sollicitation de la conscience citoyenne afin de sortir de l'alternative entre sensationnalisme et oublis organisés.

Les sciences du vivant

Peut-on concevoir que des questions aussi essentielles que la procréation, la sexualité, la mort, soient abandonnées à des comités d'éthique, davantage conçus comme des espaces de confrontation entre confessionnalités différentes que comme des lieux d'élaboration, hors de tout dogme, d'une vision responsable du rapport de l'homme avec lui-même et avec son environnement humain ou naturel ? C'est en ces domaines que s'exprime avec le plus de force le message des Églises. Qu'il s'agisse de la contraception, de l'avortement, de la sexualité, du droit de choisir sa mort ou de la détermination de la vie, les diverses religions, adoptant d'ailleurs des langages convergents, tentent de s'approprier la fonction éthique, reproduisant le vieux schéma de surdétermination religieuse de la connaissance scientifique.

> La modernité ajoute, aux champs traditionnels de l'inquiétude laïque, des perspectives nouvelles qui attestent de la continuité du vieux débat entre le clerc et le citoyen.

Les conditions de l'efficacité

Riche de l'histoire des combats qui ont permis d'en entrevoir l'apparition et d'en préciser les limites, la laïcité reste une construction volontaire dont la pertinence est liée au respect d'un certain nombre de conditions.

La démocratie comme cadre

Aucun régime autoritaire n'a jamais rien produit de significatif en terme de laïcité. Toutes les tentatives d'imposer par la force un cantonnement du rôle des Églises, accompagné parfois d'une répression du sentiment religieux, ont échoué. Souvent, les contraintes ont contribué au renforcement des appartenances religieuses, vécues comme des manifestations d'opposition. La laïcité ne s'épanouit durablement qu'au sein de sociétés habituées à la démocratie politique, comportant un espace public qui soit un lieu de construction du discours politique. Il y faut une place publique symbolique où s'affrontent et s'échangent les opinions de citoyens raisonnés et sensibles à l'intérêt général. Une société traversée de contradictions assumées, avec ses associations, ses syndicats, ses médias et ses partis politiques. L'échec retentissant de l'entreprise d'éradication du religieux dans les pays de l'Est, l'échec relatif du modèle laïc turc imposé par Kemal qui n'a pu contenir le réveil de l'islamisme, les promesses non tenues du nationalisme arabe – au départ d'inspiration laïque – sont à rechercher dans leur infirmité démocratique.

« Nous savons que la raison n'est pas la faculté unique de l'âme humaine [...] Mais nous n'en croyons pas moins qu'il faut que nous tous travaillions de tous nos moyens à réduire la part d'inconnu qui nous entoure et nous enveloppe. »
« Les idées de M. Victor Brasch, par Brunitières », dans *La Grande Revue*, 1899.

Les droits de l'homme comme horizon

Le projet émancipateur qui constitue le cœur de la démarche laïque est intimement lié à l'affirmation d'une autonomie de l'individu, égal en droit à ses semblables. Par-delà les débats sur l'existence de valeurs ou de principes universels, ce qui importe, c'est le constat que tout individu dispose de droits imprescriptibles indépen-

invention | le modèle français | au-delà des frontières

damment de leur reconnaissance par l'État qui doit, démocratiquement, garantir leur exercice. Sont-ils naturels, résultent-ils au contraire du pacte social ? L'alternative n'est pas neutre. Toutefois, l'essentiel réside dans la limite infranchissable que ces droits opposent à l'action de l'État. Attribuant au sujet de droit une qualité abstraite et irréductible, les droits de l'homme libèrent l'individu de ses enracinements identitaires en le dotant d'une volonté autonome qui lui permet d'entrer librement en contact avec tous les autres.

> « La laïcité, c'est la disponibilité universelle du patrimoine humain, c'est la loi qui veut que chaque homme soit maître de son bien et que son bien se trouve partout où il y a des hommes. »
> Robert Escarpit, *École laïque, école du peuple*, 1961.

La séparation comme moyen

La France a fait de la séparation des Églises et de l'État le couronnement du modèle laïque qu'elle propose. Ce choix traduit, sur le terrain positif, une exigence incontournable. Vue du côté de la société civile, la laïcité se présente comme la mise en œuvre d'une coexistence tolérante des libertés et notamment des convictions religieuses. Vue du côté de la puissance publique, la laïcité se manifeste au travers de la garantie de cette coexistence. Il en découle, naturellement, l'impossibilité pour l'État de jouir, à l'instar des citoyens, de cette liberté religieuse. Il ne peut effectivement remplir sa mission de garant qu'en étant lui-même radicalement neutre. C'est parce que la société civile est le lieu de la tolérance que l'État doit s'imposer à lui-même une réserve religieuse.

La lucidité comme garantie

La laïcité, c'est enfin un état d'esprit que certains ont qualifié de « morale », et d'autres de « spiritualité ». S'y mêlent culture du doute et curiosité fraternelle à l'égard de l'Autre, compréhension et interrogation, souci permanent de rendre la société acceptable parce que diverse.

La laïcité n'existe que construite par acte de volonté. Dans une société d'hommes qui vivent singulièrement leur liberté, elle affirme la nécessité de reconnaître des individus égaux en droit, protégés par un État neutre.

Glossaire

Anticléricalisme : le mot, apparu vers 1852, exprime le refus de voir l'Église intervenir dans la vie publique. Le combat laïque français porte l'empreinte de l'anticléricalisme.

Athée-Athéisme : attitude philosophique qui, au nom de la raison, affirme l'inexistence de Dieu.

Buisson (Ferdinand) : homme politique français (1841-1932), éducateur et Inspecteur général de l'Instruction publique en 1878. Il n'a cessé de lutter pour la laïcité et la gratuité de l'enseignement, ainsi que pour l'enseignement professionnel obligatoire. De 1913 à 1926, il a présidé la Ligue des droits de l'homme.

Clergé : ensemble des clercs ou ecclésiastiques d'une Église. Le clergé dit « séculier » a pour fonction d'organiser le culte à destination des croyants.

Combes (Émile) : homme politique français (1835-1921). Président du Conseil de 1902 à 1905, il appliquera à la lettre aux congrégations les dispositions de la loi de 1901. Son action conduira à une rupture des relations diplomatiques avec le Vatican et rendra inévitable la séparation des Églises et de l'État.

Concordat : traité bilatéral signé entre un État et le Vatican dont l'objet est d'organiser le statut de l'Église catholique et les conditions d'exercice de son culte.

Condorcet (Marie Jean Antoine Nicolas de Caritat, marquis de) : philosophe et homme politique français (1743-1794). Élu à la Législative puis à la Convention, il proposa une réforme de l'instruction publique particulièrement audacieuse. Arrêté sous la Terreur, il laisse une œuvre qui exprime l'optimisme progressif du XVIIIe siècle.

Congrégations : communautés religieuses soumises à une règle. Elles ont joué un rôle important dans l'enseignement (jésuites, assomptionnistes). Leur création est soumise à un régime d'autorisation depuis la loi de 1901.

Constitution civile du clergé : décret de l'Assemblée constituante, adopté le 12 juillet 1790, d'inspiration gallicane, qui dote l'Église catholique de France d'une organisation calquée sur l'administration décentralisée. L'opposition qu'elle rencontra, de la part de Pie VI, conduira à la compléter de l'obligation pour les prêtres de prêter serment de respecter la Constitution du pays.

Contre-Réforme : mouvement de réforme religieuse, engagé au XVIe siècle par la papauté en réaction contre la Réforme protestante. À l'occasion du concile de Trente (1545-1563), seront précisés la plupart des dogmes, fixées les pratiques rituelles et définies les règles de discipline applicables aux clercs.

Dogme-Dogmatisme : doctrine reconnue et établie par l'autorité d'une Église. Attitude s'opposant à toute critique.

Ferry (Jules) : ministre de l'Instruction publique et président du Conseil (1832-1893). À diverses reprises, entre 1879 et 1885, il est l'initiateur des principaux textes qui ont créé un enseignement laïque, gratuit et obligatoire. Il contribuera à l'adoption de textes essentiels, comme la loi sur la liberté syndicale. Sa politique coloniale provoquera sa chute.

Fouriérisme : mouvement socialiste utopique du XIXe siècle. En référence à Charles Fourier (1772-1837), théoricien socialiste français.

Gallicanisme : doctrine, exposée pour la première fois lors du concile de Paris (1396-1398), qui affirme l'indépendance temporelle de l'autorité civile et une certaine autonomie de l'Église catholique de France par rapport à la papauté.

Gambetta (Léon) : avocat et homme politique français (1838-1882). Tribun d'exception. Adversaire du Second Empire, il est l'auteur du programme radical adopté à Belleville en 1869. Fondateur de « l'opportunisme », il contribuera à « républicaniser » la IIIe République.

Guizot (François) : historien et homme politique français, de culture protestante (1787-1874). Ministre de l'Instruction publique, il fera adopter, en 1833, une loi sur la liberté et l'organisation de l'enseignement primaire. Son refus d'entreprendre des réformes démocratiques conduira au renversement de la monarchie de Juillet.

Inquisition : tribunal ecclésiastique d'exception créé en 1231 pour lutter contre l'hérésie cathare. Particulièrement active au XIIIe et au XVIe siècle dans l'Europe chrétienne et dans les colonies espagnoles, elle sera l'un des instruments de la Contre-Réforme.

Lakanal (Joseph) : homme politique français (1762-1845). Député à la Convention. En qualité de membre du comité de l'Instruction publique, il fit adopter plusieurs décrets sur l'instruction publique et l'organisation des écoles (1794).

Liberté de conscience : notion développée au départ par la Réforme luthérienne et réduite à l'idée de libre examen. Plus tard, notamment à partir de Pierre Bayle, la formule désignera davantage la possibilité offerte à chaque individu d'adopter les convictions qu'il souhaite et d'en changer.

Loi du premier juillet 1901 : texte qui proclame et définit la liberté d'association et organise le contrat d'association. Son titre III précise le régime d'autorisation applicable aux congrégations religieuses.

Lumières : Terme traduit de l'allemand *Aufklärung*, utilisé dès le XVIIIe siècle par un certain nombre de

invention | le modèle français | au-delà des frontières

philosophes (Kant en particulier), pour décrire la victoire de la raison et du savoir sur les ténèbres de l'ignorance et de la superstition. Plus largement, désigne l'ensemble du mouvement philosophique au XVIIIe siècle.

Michelet (Jules) : historien français, héritier d'une tradition rationaliste (1798-1874). Professeur au Collège de France à partir de 1838, il organisa le combat intellectuel contre le cléricalisme.

Ordre moral : désigne la coalition conservatrice et monarchiste qui se noue au lendemain de la Commune de Paris et qui, en 1873, va porter Mac-Mahon à la présidence de la République. Il marque l'avancée ultime de la poussée cléricale en France au XIXe siècle.

Positivisme : Doctrine philosophique, née au XIXe siècle à l'initiative d'Auguste Comte (1798-1857). Refusant tout *a priori*, elle exige que toute science porte sur des faits observables et s'y tienne. Connaît un intéressant développement en Amérique latine au début du XXe siècle.

Principe d'autorité : attitude qui considère qu'une vérité n'est pas susceptible d'être soumise à la critique.

Prosélytisme : Attitude de zèle adoptée par les fidèles d'une religion pour répandre son message et attirer de nouveaux croyants. Le catholicisme est une religion prosélyte.

Quinet (Edgar) : historien, professeur au Collège de France (1803-1875). Il fut au travers de ses cours, un des plus ardents adversaires du cléricalisme. Son cours sera suspendu en 1846. En 1848, il demandera une stricte séparation de l'Église et de l'État.

Sécularisation : dans un premier sens, désigne le transfert vers des autorités civiles de prérogatives ou de compétences jusque-là détenues par des autorités religieuses. À la suite de Max Weber, le mot sert également à désigner le phénomène sociologique de désaffiliation à l'égard du religieux.

Syllabus : annexe de l'encyclique *Quanta cura* (1864) contenant la liste des théories modernes condamnées par l'Église catholique.

Ultra-Ultracisme : nom donné, sous la Restauration, aux prétentions des ultraroyalistes. Profondément contre-révolutionnaire, ce mouvement justifie la Terreur blanche et, s'appuie, en matière religieuse, sur la réaction antimoderniste de l'Église catholique.

Ultramontanisme : Doctrine favorable à la reconnaissance d'une autorité absolue au pape et à la primauté de l'Église de Rome. Défendue par certains ordres religieux, dont les jésuites, cette doctrine sera celle de l'Église de France au cours du XIXe siècle.

Waldeck-Rousseau (Pierre Marie René) : homme politique français (1846-1904). Président du conseil de 1899 à 1902, il fut à l'origine de la révision du procès de Dreyfus et de l'adoption de la loi de 1901 sur la liberté d'association. Ministre de l'Intérieur, il fit adopter la loi de 1884 sur la liberté d'association.

Weber (Max) : sociologue allemand (1864-1920). Dans son étude sur *L'Éthique protestante et l'esprit du capitalisme*, il montre comment la morale calviniste a pu aider au développement du capitalisme. Il a défendu l'idée d'une rationalisation progressive du monde contemporain.

La laïcité française en quelques dates

1789 Déclaration des droits de l'homme et du citoyen.

1790 Vote de la Constitution civile du clergé.

1792 Laïcisation de l'état civil et du mariage. Instauration du divorce.

1795 Première séparation de l'Église et de l'État.

1801 Concordat signé entre Bonaparte et le pape Pie VII.

1810 Le Code pénal interdit aux ministres du culte de procéder à un mariage religieux s'ils n'ont pas la preuve d'un mariage civil préalable.

1816 Suppression du divorce.

1833 Loi Guizot sur l'enseignement primaire, qui impose à chaque commune d'ouvrir une école publique.

1850 Loi Falloux, qui institue une liberté de création d'établissements d'enseignement.

1871 La Commune de Paris décrète la séparation des Églises et de l'État.

1875 Vote d'une loi sur la liberté de création d'établissements d'enseignement supérieur.

1880 Abrogation de la loi de 1875 et création d'un enseignement en direction des jeunes filles.

1881 Abolition du caractère religieux des cimetières. Instauration d'un enseignement public, gratuit et obligatoire, de 7 à 13 ans.

1884 La loi Naquet rétablit le divorce. Suppression des prières publiques à l'ouverture des sessions parlementaires.

1886 La loi Goblet interdit aux ecclésiastiques toute possibilité d'enseigner au sein des écoles publiques.

1905 Loi de séparation des Églises et de l'État. Municipalisation des pompes funèbres.

La laïcité française en quelques dates (suite)

1925 Avis du Conseil d'État reconnaissant la pleine applicabilité du Concordat dans les départements d'Alsace et en Moselle.

1940-1944 Le régime de Vichy réintroduit un certain nombre de dispositions antérieures à 1905.

1944 Rétablissement de la légalité républicaine.

1946 Adoption de la constitution de la IVᵉ République, dont le préambule précise que « *l'organisation de l'enseignement public, gratuit et laïque à tous les degrés est un devoir pour l'État* ».

1948 Adoption des décrets Poinso-Chapuis instituant une aide en faveur des familles nécessiteuses, afin de favoriser la scolarisation des enfants, quel que soit le système d'enseignement choisi.

1951 Vote des lois Marie et Baranger étendant le bénéfice des bourses d'État aux élèves de l'enseignement privé, et étendant l'aide de l'État aux dépenses de fonctionnement des établissements d'enseignement privé.

1958 Adoption de la Constitution de la Vᵉ République dont l'article 1ᵉʳ précise que « *La France est une République indivisible, laïque, démocratique et sociale* ».

1959 Vote de la loi Debré organisant les relations entre enseignement public et enseignement privé. Une pétition des mouvements laïques contre le texte recueille près de 11 millions de signatures.

1967 Vote de la loi relative à la régulation des naissances.

1975 Vote de la loi relative à l'IVG (Interruption volontaire de grossesse).

1977 Loi Guermeur sur le financement de la formation des enseignants des établissements privés.

1984 Abandon du projet du ministre de l'Éducation nationale Alain Savary, qui prévoyait la création d'un grand service public de l'éducation.

1989 Premières manifestations du port du foulard islamique par des élèves au sein d'établissements d'enseignement public. Avis du Conseil d'État qui précise les conditions du port de signes extérieurs d'appartenance religieuse et proscrit tout prosélytisme.

1993 Accords Lang-Cloupet concernant le recrutement et la formation des enseignants du privé par les collectivités territoriales.

1994 Le Conseil constitutionnel déclare contraire à la constitution un projet de modification de l'article 69 de la loi Falloux, qui limitait les subventions des collectivités locales aux établissements d'enseignement privé. La protestation des laïques contre le texte donne lieu à une importante mobilisation le 16 janvier.

1999 Vote de la loi créant le PaCS (Pacte civil de solidarité).

Bibliographie sélective

Histoire de la laïcité

BAUBÉROT (Jean) et autres, *Histoire de la laïcité*, CRDP de Franche-Comté, 1994.

BAUBÉROT (Jean), *Histoire de la laïcité française*, PUF, 2000.

COSTA-LASCOUX (Jacqueline), *Les Trois Âges de la laïcité*, Hachette, 1996.

MAYEUR (Jean-Marie), *La Séparation des Églises et de l'État*, coll. « Archives », Julliard, 1966.

MAYEUR (Jean-Marie), *La Question laïque - XIXᵉ - XXᵉ siècle*, Fayard, 1997.

NICOLET (Claude), *L'Idée républicaine en France (1789-1924)*, Gallimard, 1982.

La République en France : état des lieux, Seuil, 1992.

Histoire – Nation - République, Odile Jacob, 2000.

REMOND (René), *L'Anticléricalisme en France de 1815 à nos jours*, Éditions Complexe, Bruxelles, 1985.

TOURNEMIRE (Pierre), *La Ligue de l'enseignement*, coll. « Les Essentiels Milan », Milan, 2000.

WANEGFFELEN (Thierry), *L'Édit de Nantes – Une histoire européenne de la tolérance XVIᵉ-XXᵉ siècle*, Livre de Poche, 1998.

WEIL (Georges), *Histoire de l'idée laïque au XIXᵉ siècle*, Éditions Alcan, Paris, 1929.

La laïcité et le droit

BARBIER (Maurice), *La Laïcité*, L'Harmattan, 1995.

Cet ouvrage est complété d'une excellente bibliographie commentée.

BOUSSINESQ (Jean), *La Laïcité française*, Seuil, 1994.

BOYER (Alain), *Le Droit des religions en France*, PUF, 1993.

DUCOMTE (Jean-Michel), *Regards sur la laïcité*, Edimaf, 2000.

DURAND-PRINBORGNE (Claude), *La Laïcité*, Dalloz, 1996.

MATHIEU (Bernard) et VERPEAUX (Michel) (sous la direction de), *La République en droit français*, Économica, 1996.

DE LA MORENA (Frédérique), *Recherche sur le principe de laïcité en droit français*, thèse de doctorat, Toulouse, 1999.

invention | le modèle français | au-delà des frontières

Bibliographie sélective (suite)

L'idéal laïque

BÉRESNIAK (Daniel), *La Laïcité*, Grancher, 1990.

COQ (Guy), *Laïcité et République, le lien nécessaire*, Éditions du Félin, 1995.

DEBRAY (Régis), *Que vive la République*, Odile Jacob, 1991.

GAUCHET (Marcel), *La Religion dans la démocratie, Parcours de la laïcité*, Gallimard-Le Débat, 1998.

HAARSCHER (Guy), *La Laïcité*, Puf, 1996.

HAYAT (Pierre), *La Laïcité et les pouvoirs, pour une critique de la raison laïque*, Kimé, 1998.

KINTZLER (Catherine), *La République en questions*, Minerve, 1996.

PENA-RUIZ (Henri), *La Laïcité*, Paris, Flammarion, 1998.

Dieu et Marianne, Paris, PUF, 1998.

LESGARD (Roger) (sous la direction de), *Vers un humanisme du IIIᵉ millénaire - Réflexions pour un « humanisme laïque renouvelé »*, Le Cherche Midi, 2000.

Genèse et enjeux de la laïcité, Labor et Fides, Genève, 1990.

Les exemples étrangers

BAUBEROT (Jean) (sous la direction de), *Religions et laïcité dans l'Europe des douze*, Syros, 1994.

DAVIE (Grace), et HERVIEU-LEGER (Danièle), *Identités religieuses en Europe*, La Découverte, 1996.

POULAT (Émile), *Liberté - Laïcité*, Cujas-Cerf, 1988.

SANSON (Henri), *Laïcité islamique en Algérie*, Éditions du CNRS, 1983.

ZAKARIYA (Fouad), *Laïcité ou islamisme, les Arabes à l'heure des choix*, La Découverte, 1992.

Pour continuer le débat

ANDRAU (René), *La Dérive multiculturaliste*, Bruno Leprince, 2000.

BAUBEROT (Jean), *Vers un nouveau pacte laïque*, Le Seuil, 1990.

GÉRARD (Alain) (sous la direction de), *Permanence de la laïcité*, Privat, 2001.

ESCARPIT (Robert), *École laïque, école du peuple*, Calman-Lévy, 1961.

POULAT (Émile), *La Solution laïque*, Berg international, 1997.

PION (Étienne), *L'Avenir laïque*, Denoël, 1991.

Le retour aux textes

COTEREAU (Jean), *Idéal laïque... Concorde du monde*, Fischbacher, 1963.

COTEREAU (Jean), *Laïcité... Sagesse des peuples*, Fischbacher, 1965.

FERRY (Jules), *La République des citoyens*, tome II, Imprimerie nationale, 1996.

PIERRARD (Pierre), *Anthologie de l'humanisme laïque*, Albin Michel, 2000.

Index

Responsable éditorial
Bernard Garaude
Directeur de collection – Édition
Dominique Auzel
Secrétariat d'édition
Anne Vila - Cécile Clerc
Collaboration
Jordan Aybram
Relecture
Pauline Chazaud
Laure Marquet
Correction – révision
Marie-Christine Gaillard-Simorre
Iconographie
Sandrine Battle
Collaboration Iconographie
Christelle Lottin
Conception graphique
Bruno Douin
Maquette
Didier Gatepaille
Fabrication
Isabelle Gaudon
Hélène Zanola

Crédit photo
© Giraudon : p 3 / © Collection
Viollet : pp. 4, 9 / © Coll. ADPC -
Explorer : p. 10 / © Rue des Archives :
pp. 17, 34 / © Corbis - Sygma : pp.
39, 46, 57 /© G. Bassignac : p. 48 /
© Harlingue - Viollet : pp. 24, 28 /
© J.M. Ducomte : pp. 7, 14.

© 2001 Éditions MILAN
300, rue Léon-Joulin,
31101 Toulouse Cedex 1 France

ISBN : 2-7459-0327-6
D. L. 1er trimestre 2005
Aubin Imprimeur, 86240 Ligugé
Impr. P 67967
Imprimé en France